CLAVES DE

Gramática en contexto

Claudia Jacobi

· · · · · · · · · · · · · · · · · ·

Enrique Melone

· · · · · · · · · · · · · · · · · ·

Lorena Menón

· · · · · · · · · · · · · · · · · ·

edelsa

GRUPO DIDASCALIA, S.A.

1ª edición: 2011
10ª impresión: 2021

Autores: Claudia Jacobi, Enrique Melone y Lorena Menón

Dirección y coordinación editorial: Departamento de Edición de Edelsa
Diseño de cubierta: Departamento de Imagen de Edelsa
Diseño y maquetación de interior: S y S Alberquilla, S. L.

ISBN: 978-84-7711-719-3
Depósito legal: M-42522-2011

Impreso en España.
Printed in Spain.

Índice de claves

Claves a los ejercicios de respuesta cerrada correspondientes a la sección 4 de todos los capítulos de *Gramática en contexto**

Capítulo 1. Los pronombres personales sujeto

4.1. Identifica

1. a. MONTAMOS SU PÁGINA PERSONAL. <u>Usted</u> escribe el texto, <u>nosotros</u> diseñamos su página en Internet; **b.** Si <u>tú</u> no puedes, <u>yo</u> paseo tu perro por ti. Vivo en el pueblo de Fuencarral. Contacta conmigo: paseoperros@liber.com.es; **c.** <u>Vos</u>, que tenés cerebro: usá siempre el casco; **d.** Alfredo y Alicia son un buen equipo de trabajo. <u>Él</u> es arquitecto, <u>ella</u> es diseñadora de interiores. En su casa, son una familia; **e.** En julio viajamos a Granada. ¿Conocéis <u>vosotros</u> un buen hotel? Gracias; **f.** <u>Ustedes</u> cuando aman exigen bienestar. <u>Nosotros</u> cuando amamos […] con sábanas qué bueno sin sábanas da igual.

	Singular		Plural	
	Masculino	Femenino	Masculino	Femenino
1.ª persona Quién habla	yo		nosotros	nosotras
2.ª persona Con quién se habla	tú vos usted		vosotros ustedes	vosotras ustedes
3.ª persona De quién se habla	él	ella	ellos	ellas

2. a. Tú; **b.** Tú; **c.** Él; **d.** Vosotros; **e.** Nosotros; **f.** Ellos; **g.** Ustedes; **h.** Usted; **i.** Yo; **j.** Vos; **k.** Ella.

3. a. Informal – General; **b.** Formal – General; **c.** Informal – Argentina y Uruguay; **d.** Informal – España; **e.** Informal – Argentina y Uruguay; **f.** Informal – General.

4.2. Practica

1. a. Mi compañera de clase se llama Claudia. <u>Ø</u> es muy activa: <u>Ø</u> estudia por las mañanas, <u>Ø</u> juega al voleibol por la tarde y por la noche Ø tiene clases de alemán. En cambio, <u>yo</u> soy más tranquilo: <u>Ø</u> solamente estudio en la universidad; **b.** Buenas tardes, <u>Ø</u> soy el ingeniero Alcorta. Buenas tardes, señor Alcorta. <u>Yo</u> soy Patricia, la directora de *marketing*, y <u>ella</u> es Ángela, su secretaria; **c.** Nora vive en un apartamento bonito. <u>Ø</u> no es muy grande, pero <u>Ø</u> es cómodo; **d.** ¿De dónde sois Daniel y <u>tú</u>? <u>Él</u> es de Paraguay y <u>yo</u> soy colombiano. ¿Y <u>tú</u>, dónde vives actualmente? <u>Ø</u> vivo en una casa muy cerca de aquí; **e.** <u>Yo</u> quiero un café. ¿Y <u>ustedes</u>, qué toman?, <u>Yo</u>, un helado. Y <u>yo</u>, agua mineral.

---

* Si necesitas las soluciones de las actividades de EN CONTEXTO, consúltalas en www.edelsa.es/zonaestudiante.html.

Capítulo 2. Los artículos

4.1. Identifica

1.

	Artículos definidos		Artículos indefinidos	
	Singular	Plural	Singular	Plural
Masculino	El pintor El descubrimiento		Un edificio Un colegio Un monumento Un bebé Un cuadro	Unos ocho mil euros
Femenino	La casa La calle La escuela La tía Pepa La retina	Las profesoras Las personas	Una casa Una escuela Una tía Una mujer	Unas familias Unas maestras Unas células

2. Texto 1: una casa, una escuela, unas maestras, un edificio, un colegio-c; la casa, las profesoras, la escuela-d; **Texto 2:** unos ocho mil euros-a; **Texto 3:** una tía-b; **Texto 4:** unas células especiales-c.

4.2. Practica

1. a. La televisión y los niños: recomendaciones para los padres; **b.** Elegir programas interesantes y divertidos que enseñan y aumentan los conocimientos; **c.** Grabar programas sobre la vida de los animales, el cuerpo humano, la ecología y el respeto al medioambiente, así los niños pueden verlos varias veces; **d.** Apagar el televisor durante las comidas o cuando la familia está reunida para conversar.

2. a. las hadas; **b.** el arma; **c.** el ave; **d.** el agua; **e.** las áreas.

3. a. Ø; **b.** el, Ø; **c.** Ø; **d.** un; **e.** Al, el, las; **f.** la, a la; **g.** el; **h.** las.

4. a. de los; **b.** al; **c.** de El; **d.** de la; **e.** a la; **f.** a las; **g.** del; **h.** de los; **i.** a los; **j.** de las.

5. a. Ø, la; **b.** los; **c.** las; **d.** Ø, los; **e.** Los, los; **f.** La; **g.** el; **h.** Ø, un; **i.** El, Ø/los; **j.** Ø, una; **k.** El.

4.3. Aplica

1. Hotel Aire de Bárdenas: un sitio verdaderamente especial. Te recomendamos pasar unos días en el Hotel Aire de Bárdenas, muy cerquita de Ø Tudela (Navarra). El hotel está en una zona extremadamente seca, el conocido desierto de Las Bárdenas, y es un lugar realmente especial. Las habitaciones son extraordinarias. Son cubos individuales y el cliente puede elegir una habitación «con vistas» o con «patio interior». Las primeras tienen un ventanal que da a los campos de trigo de la zona. Es una vista impresionante.

Capítulo 3. Los sustantivos y los adjetivos

4.1. Identifica

1. **Texto a:** ¿De dónde es? Es español, ¿A qué se dedica? Es periodista, ¿Qué idiomas habla? Español, inglés y portugués, ¿Qué grado de conocimiento tiene del portugués y del inglés? Alto; **Texto b:** ¿Cómo es este joven? Sincero, inteligente, educado y simpático, ¿Qué es lo que busca? Conocer chicas para tener una conversación animada y agradable, ¿Qué es lo que no busca? Compromiso, noviazgo, matrimonio; **Texto c:** ¿En qué calle está el piso? En Camino Real, ¿En qué ciudad se encuentra? En Murcia, ¿Qué características tiene el piso? Es luminoso, ¿Y la calle? Es céntrica y espaciosa; **Texto d:** ¿Qué profesionales se buscan? Escritores de cuentos y relatos infantiles, ¿En dónde van a trabajar? En una web de cuentos.

2. **a.** español, venezolano; **b.** periodista, escritores; **c.** Murcia, Camino Real; **d.** inteligente, agradable, infantiles, reales; **e.** amistad, compromiso, noviazgo, matrimonio; **f.** nivel alto, piso luminoso; **g.** calle céntrica y espaciosa, conversación animada y agradable; **h.** cuentos y relatos infantiles.

4.2. Practica

1. [F] costumbre; [M] problema; [F] actitud; [M] dolor; [F] computadora; [M] sillón; [F] moto; [M] sistema; [M] mensaje; [M] juez; [F] vejez; [F] flor; [M] martes; [F] radio.

2. **a.** La niña es educada; **b.** La joven es amable; **c.** La jueza es alemana; **d.** La vendedora es una mujer seductora; **e.** La heroína no es una llorona; **f.** La princesa es una niña haragana; **g.** La madrina de mi madre es una cantante famosa; **h.** La vaca está cansada de correr; **i.** La bailarina es una artista encantadora.

3. **a.** La habitación amplia; **b.** La leche fría; **c.** Los dolores molestos; **d.** El viaje largo; **e.** Las emociones repentinas; **f.** Los trajes oscuros; **g.** El sofá blanco; **h.** La nariz pequeña; **i.** Las cremas dermatológicas; **j.** Los mensajes claros; **k.** El color rojo.

4. Los taxis; Los jardines; Los despertadores; Los relojes; Los maníes; Las actrices; Los esquís; Los árboles; Las camas; Los paraguas; Los manteles; Los autobuses.

5.

Singular	Plural
Un vestido discreto	Unos vestidos discretos
El examen difícil	Los exámenes difíciles
Un compás roto	Unos compases rotos
La ciudad gris	Las ciudades grises
La joven amable	Las jóvenes amables
El director cortés	Los directores corteses
Un lápiz marrón	Unos lápices marrones
El sofá francés	Los sofás franceses
La ciclista veloz	Las ciclistas veloces
Un criminal audaz	Unos criminales audaces
El rey feliz	Los reyes felices

6. a. ofensivas; **b.** asombrosos; **c.** prestados; **d.** inmensos, diminutos; **e.** manchadas; **f.** ajustados.

7. a. El portero de la selección es un <u>grande</u> entre los <u>grandes</u>. Es difícil meterle un gol. Iker Casillas, el <u>gran</u> portero español. Mi hermano vive en un apartamento <u>grande</u> del centro; **b.** Hoy es un <u>buen</u> día para empezar una dieta. Hoy es un día <u>bueno</u> para navegar. Si no te sientes bien con tu cuerpo, es una <u>buena</u> razón para comenzar una dieta; **c.** Tenemos que tener mucha paciencia para superar este <u>mal</u> momento. Dicen los médicos que es <u>malo</u> dormir demasiado, pero no es verdad. Partido <u>malo</u> y sin goles en el estadio Bernabéu. No es una <u>mala</u> idea ir a cenar a un restaurante esta noche; **d.** La carrera de <u>San</u> Silvestre se realiza todos los años en San Pablo. Voy a prender una vela al <u>santo</u> de mi devoción para que gane mi equipo. Este hombre es un verdadero <u>santo</u>, ayuda siempre a todos.

4.3. Aplica

Apartamento muy <u>bonito</u> de dos ambientes, ubicado en un edificio de estilo <u>inglés</u>, mantenido en <u>excelentes</u> condiciones. Tiene dos <u>habitaciones</u> muy <u>amplias</u> con cómodos armarios <u>empotrados</u>. El *living* comedor tiene una <u>preciosa</u> vista a la calle. Baño <u>completo</u> con bañera y una cocina toda <u>equipada</u> y, al lado, un <u>pequeño</u> lavadero. Los gastos son muy <u>bajos</u>. El edificio cuenta con <u>áreas</u> verdes <u>comunes</u> y está frente a una plaza muy <u>arbolada</u>. Este apartamento está a la venta tanto <u>amueblado</u> como no.

Capítulo 4. Los interrogativos y los exclamativos

4.1. Identifica

2. a. ¿Cómo se escribe una telenovela? Cómo decir *no;* **b.** ¡Ay, cuánto me quiero!; **c.** ¿Cuál es mi bebé?; **d.** ¿Y tú quién eres?; **e.** ¿Qué día es hoy? ¿Qué tiempo hace hoy?; **f.** ¿Dónde está la marquesa?; **g.** Cuándo decir *sí.*

4.2. Practica

1. ¿Quién es la chica de ojos verdes?; ¿Quiénes son los dos muchachos sentados allí?; ¿Qué quieres cenar esta noche?; ¿Cuánto cuesta el kilo de arroz?; ¿Cuántas tarjetas quieres?; ¿Cuántos dormitorios tiene la casa?; ¿Cuál es tu postre favorito?; ¿Dónde vive tu familia?; ¿Cuándo viajas a Chile?; ¿Cómo es la casa? ¿Es amplia?

2. a. Qué; **b.** Quiénes; **c.** Quién; **d.** Cuándo; **e.** Cuáles; **f.** Cuánto; **g.** Dónde; **h.** Cuál; **i.** Cómo; **j.** Cuántas; **k.** Qué.

3. a. Qué; **b.** Qué; **c.** Cuántos; **d.** Cómo; **e.** Cuánta; **f.** Qué; **g.** Qué, Cuántos, Cuántas.

4. a. Qué; **b.** Cuál; **c.** Qué; **d.** Qué; **e.** Cuál; **f.** Qué; **g.** Cuál; **h.** Cuál; **i.** Qué.

5. a. A dónde; **b.** De quién; **c.** Con quién; **d.** De qué; **e.** Para quiénes; **f.** De qué; **g.** A qué.

4.3. Aplica

1. a. ¿Cómo se llama tu hermana?; **b.** ¿Cuántos años tienen tus sobrinos?; **c.** ¿Cuál es tu número de teléfono?; **d.** ¿Dónde trabajas?; **e.** ¿Cuándo es tu cumpleaños?; **f.** ¿De qué ciudad eres?

Capítulo 5. *Ser* y *estar*

4.1. Identifica

1. **Indicar propiedad:** El auto es de mi hermano (texto 7); **Identificar a alguien por su profesión:** La nueva ministra de Cultura es ingeniera (texto 2); **Hablar del carácter de una persona:** ¿Eres machista/feminista/normal/sociable? (texto 4); **Valorar actividades:** El restaurante es magnífico y el bar es animado (texto 9), El culebrón es un éxito (texto 12); **Indicar una cantidad:** La temperatura media de la superficie terrestre es de unos 15 °C (texto 5); **Indicar el origen, el lugar de procedencia:** Somos de Valencia (texto 3); **Describir el material:** La Copa del Mundo no es de oro macizo (texto 6); **Identificar a alguien:** son los candidatos (texto 1), Mi mujer es Amparo (texto 3), Somos los papás de Adrián y Ana (texto 3).

2. **Situar espacialmente:** Estamos aquí (texto 10); **Expresar una opinión favorable:** El Gobierno está a favor de subir los impuestos (texto 11); **Constatar algo que puede ser demostrado o comprobado:** Está claro que el nuevo culebrón… (texto 12); **Describir estados de ánimo:** ¿Estáis contentos con vuestro trabajo?, Estoy muy satisfecho, No estoy contento con mi trabajo (texto 8).

4.2. Practica

1.

	Ser	Estar
yo	Soy	Estoy
tú	Eres	Estás
vos	Sos	Estás
él, ella, usted	Es	Está
nosotros, nosotras	Somos	Estamos
vosotros, vosotras	Sois	Estáis
ellos, ellas, ustedes	Son	Están

2. **a.** soy; **b.** eres; **c.** es; **d.** sos; **e.** sois; **f.** son; **g.** es.

3. **a.** son; **b.** es; **c.** es; **d.** es; **e.** es; **f.** están; **g.** Es; **h.** es; **i.** están; **j.** Está; **k.** estás; **l.** Estamos; **m.** es; **n.** es; **ñ.** está; **o.** es; **p.** es; **q.** está.

4. **a.** es listo; **b.** están listos; **c.** está interesado; **d.** es interesada; **e.** son aburridas; **f.** estás aburrida.

4.3. Aplica

– ¿De dónde eres/es?
– Soy de Colombia.

– ¿A cuánto están las cerezas?
– Están a 12 pesos.

– Quiero un kilo de papas y dos cabezas de ajo.
– Aquí tiene.
– ¿Cuánto es todo?
– Son 15 pesos.

– ¿Cómo es tu novio?
– Es moreno, alto y delgado.

– ¿Cómo está tu novio?
– Bien, pero muy ocupado.

– ¿Qué hora es?
– Son las tres y media.

– ¿Qué día es hoy?
– Hoy es miércoles.

Capítulo 6. Los comparativos y los superlativos

4.1. Identifica

1. Comparativos de superioridad: más amplio que, mayor que; **Comparativos de inferioridad:** menos de lo que; **Comparativos de igualdad:** es igual de peligroso que, cuesta lo mismo que, tan amplias como; **Superlativos en grado máximo:** muy potente, bajísimo, perfectísimo; **Superlativo limitado a un grupo:** más cara del mundo.

4.2. Practica

1. a. más gentil que; **b.** menos preocupaciones que; **c.** más seguro que; **d.** menos divertido que; **e.** más experiencia que; **f.** menos frecuentemente que; **g.** menos alumnos que; **h.** más dinero de lo que; **i.** menos verduras de lo que; **j.** es mejor que; **k.** mayor que; **l.** menos caro de lo que.

2. a. más veloz que; **b.** tanta facilidad como; **c.** más grande que/mayor que; **d.** menos peligroso que; **e.** tan ansioso como; **f.** tantas comodidades como; **g.** menos impacto que; **h.** más polémicos que; **i.** menos rebeldes que; **j.** más caro que.

3. a. Esta casa tiene <u>tantos</u> dormitorios <u>como</u> baños. Es enorme; **b.** La fiesta de este año fue <u>tan</u> animada <u>como</u> la del año pasado; **c.** Creo que el francés es un idioma <u>tan</u> difícil <u>como</u> el español; **d.** En nuestro país, los sueldos no aumentan <u>tanto como</u> nos gustaría; **e.** Para este cargo no piden <u>tantos</u> requisitos <u>como</u> para el cargo de gerente; **f.** El sedentarismo tiene <u>tantas</u> consecuencias malas <u>como</u> el tabaquismo; **g.** Mi madre ya no tiene <u>tanta</u> paciencia con los niños <u>como</u> antes; **h.** Nunca me sentí <u>tan</u> joven, con <u>tantas</u> energías, con <u>tanto</u> entusiasmo <u>como</u> ahora; **i.** En el cumpleaños de Sofía no hubo <u>tantos</u> invitados <u>como</u> el año anterior.

4. a. habilísimo; **b.** feísima; **c.** respetabilísimo; **d.** audacísima; **e.** bellísimos; **f.** felicísimos; **g.** larguísima; **h.** clarísima.

5. a. Jorge es el más inteligente de la clase; **b.** María es la más alta de su familia; **c.** Esta película es la menos comercial de la muestra; **d.** Mis hijos son los menos estudiosos del curso; **e.** Esta catedral es la más antigua de España; **f.** La tienda Leones es la más cara del barrio.

4.3. Aplica

Aldo es nueve años <u>mayor que</u> Nora. Los dos están casados y los dos tienen hijos: Aldo tiene cuatro y ella tiene dos <u>menos que</u> él. Durante la semana, Aldo se despierta <u>más</u> temprano <u>que</u> Nora y come <u>mucho más que</u> ella en el desayuno. Nora empieza a trabajar <u>más</u> tarde <u>que</u> Aldo, pero él vuelve a su casa <u>más</u> temprano que <u>ella</u>. De todas maneras, Nora no trabaja <u>tantas</u> horas <u>como</u> él. Por ejemplo, ella no trabaja los sábados. Y a Nora no le gusta la vida nocturna <u>tanto como</u> a Aldo. Ella se queda en su casa <u>más que</u> él por las noches. Hace <u>más</u> ejercicios físicos. Lo que pasa es que él tiene <u>menos</u> tiempo libre <u>que</u> ella para dedicarse al deporte.

Capítulo 7. *Haber, tener y estar*

4.1. Identifica

1. Texto 1: Palermo Hollywood es un barrio con mucha movida para jóvenes, Cerca está la Plaza Serrano; **Texto 2:** Son casas antiguas y edificios modernos, No tiene espacios verdes; **Texto 3:** Se llama Ecocentro, Está cerca del metro Ríos Rosas; **Texto 4:** Porque hay muchos volcanes muy bellos; **Texto 5:** Sí, porque tiene dos habitaciones, baño, sala, cocina y lavandería, Hay aire acondicionado, Está a dos cuadras del mar; **Texto 6:** Está en Perú, camino a Machu Picchu, Se puede comprar comidas, bebidas y artesanía.

2. **Se expresa la existencia de objetos, personas o lugares/Se pregunta por la existencia de un objeto, persona o lugar:** Hay un barrio con mucha movida joven que se llama *Palermo Hollywood;* En Palermo Hollywood hay muchos bares y restaurantes; ¿Dónde hay una tienda macrobiótica en Madrid?; Hay una que se llama *Ecocentro;* En todas las habitaciones hay aire acondicionado; Hay puestos de venta de comidas, bebidas, y artesanía; Hay trenes locales que van a Cuzco y Aguas Calientes.

Se expresa que alguien o algo posee o contiene los objetos, personas y lugares: El barrio no tiene espacios verdes, pero las veredas tienen hermosos árboles; México tiene unos volcanes de belleza increíble; Mi apartamento tiene sala, cocina, baño, dos habitaciones, lavandería; La estación tiene mucha actividad.

Se localiza un objeto o una persona en un determinado espacio: Cerca de allí, está Plaza Serrano; La tienda está cerca del metro Ríos Rosas; Está a dos cuadras del mar; La estación está camino a Machu Picchu.

4.2. Practica

1. **a.** hay; **b.** tiene; **c.** hay; **d.** Hay; **e.** está; **f.** tiene; **g.** hay; **h.** tiene, Están; **i.** está; **j.** hay.

2. **a.** la; **b.** el; **c.** un; **d.** Ø; **e.** unos; **f.** una; **g.** Ø; **h.** unos; **i.** las; **j.** unos.

3. **a.** está; **b.** tiene; **c.** hay; **d.** tienen; **e.** tiene; **f.** hay; **g.** está; **h.** tiene; **i.** Hay; **j.** hay, Están.

4. **a.** En mi ciudad no hay muchos edificios altos; **b.** Estos libros no tienen imágenes; **c.** ¿En tu casa no hay balcones?; **d.** ¿Qué sala tiene más alumnos?; **e.** En las habitaciones del hotel no hay tele; **f.** Mi barrio tiene varios restaurantes; **g.** En el hospital no hay espacio para tantos enfermos.

5. El barrio Rosedal <u>está</u> en la entrada de la ciudad y es un barrio pequeño que <u>tiene</u> pocas calles. El Rosedal casi no <u>tiene</u> comercios. Son muy pocos y <u>están</u> todos muy cerca uno del otro. Al lado de mi casa <u>hay</u> un pequeño supermercado. Al lado del supermercado <u>está</u> la oficina de Correos y enfrente <u>hay</u> un banco. A dos cuadras del banco <u>están</u> el hospital y la farmacia. Pocas calles tienen semáforos porque <u>hay</u> pocos coches y casi no <u>hay</u> autobuses. Es un barrio muy tranquilo y no <u>hay/tiene</u> problemas de seguridad.

Capítulo 8. Los adverbios, las locuciones y las preposiciones de lugar

4.1. Identifica

1. **1.** a y b; **2.** a; **3.** b; **4.** a y b; **5.** a y b; **6.** a y b; **7.** a; **8.** b.

2.

	Adverbios	Locuciones	Preposiciones
Texto 1	abajo		
Texto 2	arriba		
Texto 3		detrás de	
Texto 4		delante de	
Texto 5	allá lejos		
Texto 6	aquí	dentro de	
Texto 7	afuera – fuera		
Texto 8			bajo – tras

4.2. Practica

1. a. allí; **b.** Aquí; **c.** ahí; **d.** allá; **e.** ahí; **f.** aquí; **g.** ahí, aquí.

2. 1-d; 2-h; 3-c; 4-f; 5-e; 6-b; 7-g; 8-a.

3. a. 1; **b.** 1; **c.** 1; **d.** 1; **e.** 1; **f.** 2; **g.** 2; **h.** 3; **i.** 2.

4. a. alrededor; **b.** al lado; **c.** frente; **d.** enfrente; **e.** afuera; **f.** delante.

4.3. Aplica

1. Verdaderas: a, b, d, f y g; **Falsas:** c y e.

Capítulo 9. El presente de indicativo

4.1. Identifica

1. a. Están en el jardín, beben refrescos y té helado y conversan; **b.** Un ruido; **c.** Porque cada uno corre para un lado, algunos gritan y otros caen al suelo.

2. a-4; b-2; c-7; d-1; e-6; f-3; g-5; h-4.

4.2. Practica

1.

	Cocinar	Aprender	Abrir
yo	cocino	aprendo	abro
tú	cocinas	aprendes	abres
vos	cocinás	aprendés	abrís
él, ella, usted	cocina	aprende	abre
nosotros, nosotras	cocinamos	aprendemos	abrimos
vosotros, vosotras	cocináis	aprendéis	abrís
ellos, ellas, ustedes	cocinan	aprenden	abren

2. a. puedes, muerde; **b.** niega, miente; **c.** suena, despierto, visto; **d.** dicen, juega, pienso; **e.** empiezo, comenzás; **f.** encontramos, acostamos, duermo; **g.** atiende, siente, puede; **h.** recomendáis, pedís; **i.** advierto, cuesta, eliges.

3. a. Carolina <u>tiene</u> 25 años y todavía <u>depende</u> de sus padres; **b.** Antonio a veces <u>juega</u> a la ruleta. Por suerte no <u>apuesta</u> mucho dinero porque siempre <u>pierde</u>; **c.** Felipe, ¿<u>puedes</u> hablar más fuerte porque no te <u>oigo</u>?; **d.** La farmacia <u>cierra</u> a las ocho y media. Voy ahora y <u>vuelvo</u> en cinco minutos; **e.** Cuando llego a casa, <u>enciendo</u> la computadora, <u>pongo</u> música y <u>leo</u> mi correo electrónico; **f.** Los sindicatos <u>piden</u> un 20% de aumento para los empleados. En cambio, los empresarios <u>quieren</u> dar solamente un 5%; **g.** Niños, os aseguro que si no <u>aprobáis</u> los exámenes, durante dos días no os <u>dirijo</u> la palabra.

4. a. hace, castigo; **b.** dicen, parezco; **c.** agradezco, intuyo, quieres, conozco; **d.** pienso, contribuyen, parece, destruyen; **e.** conduzco, vengo, reduzco; **f.** parece, traigo, hacéis.

4.3. Aplica

1. El lunes, lleva el coche al mecánico. El martes, va al nutricionista y empieza la dieta. El miércoles, renueva el carné de conducir. El jueves al mediodía almuerza con Jorge y por la noche sale con los amigos del club. El viernes por la mañana, tiene el examen de Matemática Financiera, y por la noche se encuentra con Alicia. El sábado, hace las compras para todo el mes.

Capítulo 10. Los verbos pronominales

4.1. Identifica

a.

	Verbo pronominal conjugado	Infinitivo	Sujeto
Texto 1	Nos damos	darse	Nosotros (el yo de la canción y su destinatario)
Texto 2	Se acuerda Me acuerdo Levantándose	acordarse acordarse levantarse	Papá (usted) Quien escribe (yo) Papá (usted)
Texto 3	Me quejo	quejarse	Carilda Oliver Labra
Texto 4	Os dedicáis	dedicarse	Los integrantes del foro, a quiénes se dirige Josefina (vosotros)

b. se trata de la acción de recordar: Acordarse (me acuerdo/se acuerda); **se usa para expresar disconformidad:** Quejarse (no me quejo); **se expresa una acción mutua y simultánea:** Darse (nos damos un beso); **se utiliza para hablar de la ocupación:** Dedicarse (a qué os dedicáis).

4.2. Practica

1.

	Esmerarse	Atreverse	Arrepentirse
yo	me esmero	me atrevo	me arrepiento
tú	te esmeras	te atreves	te arrepientes
vos	te esmerás	te atrevés	te arrepentís
él, ella, usted	se esmera	se atreve	se arrepiente
nosotros, nosotras	nos esmeramos	nos atrevemos	nos arrepentimos
vosotros, vosotras	os esmeráis	os atrevéis	os arrepentís
ellos, ellas, ustedes	se esmeran	se atreven	se arrepienten

2. a. vas; **b.** se duerme; **c.** os acordáis; **d.** te echas; **e.** se ocupa; **f.** llamar; **g.** le dedicas; **h.** despiertas; **i.** acuestan.

3. a. Si usted toma una dosis una vez al día a la hora de Ø acostar<u>se</u> y no <u>se</u> acuerda Ø de tomarla hasta el día siguiente, salte la dosis que olvidó tomar. Es importante Ø recordar Ø que no es recomendable tomar una dosis doble para compensar el olvido; **b.** Respóndanme las siguientes preguntas: ¿cómo <u>se</u> llaman Ø?; ¿a qué <u>se</u> dedican Ø?; ¿Ø ocupan Ø o no un espacio público sin autorización?; **c.** El insomnio infantil puede desencadenar<u>se</u> cuando los niños, acostumbrados a ciertas prácticas u objetos para conciliar el sueño, no pueden disponer de estos hábitos. Ø Poder dormir<u>se</u> es el primer paso. Ø Poder dormir Ø bien toda la noche es otra cuestión que depende de otros factores; **d.** La mejor forma que tenemos de prevenir enfermedades es Ø lavándo<u>nos</u> las manos correctamente y constantemente. Especialmente a la hora de cocinar, debemos Ø lavar<u>nos</u> las manos con agua y jabón, Ø lavar Ø cuidadosamente las verduras y frutas que se ingieran crudas y Ø lavar Ø el cuchillo antes de usarlo para cortar verduras y frutas, si antes lo hemos usado para cortar carne cruda.

4.

Frases	La acción recae sobre el sujeto	La acción recae sobre uno al otro	La acción recae sobre otra persona o cosa
Lavo los platos del almuerzo.			x
Me lavo el pelo todos los días.	x		
Le lavo el pelo a mi bebé con un champú especial.			x
Mis hijos se quieren mucho.		x	
No es nada fácil levantar un mueble de madera.			x
Se acuestan tarde todos los días.	x		
Me visto formalmente porque me siento más cómodo así.	x		
El padre besa a su hijo en la frente todas las noches.			x
Se besan intensamente.		x	

5. a. se lava; **b.** me voy; **c.** se esmeran; **d.** duermen; **e.** se viste; **f.** os atrevéis; **g.** se llaman; **h.** se acuerden.

Capítulo 11. Los verbos con pronombre

4.1. Identifica

1.

	La persona que experimenta la sensación	La sensación	La cosa o persona que provoca la sensación
Texto 1	A mi marido y a mí	nos gusta	el turismo ecológico
	A nuestros hijos	les encanta no les molesta	acampar pasar un mes sin televisión ni computadoras
Texto 2	A la persona de Virgo = el lector	te gusta te encanta te preocupa	vivir bien ayudar a los demás algo
	A los amigos de la persona de Virgo	les molesta	la preocupación exagerada
Texto 3	A los lectores de la pregunta	os molesta	abrir los ojos
	A la persona que responde la pregunta	le molestan	las gafas

Texto 4	A Las Populares (quienes cantan)	nos gusta	ser amigas
			pelear
			ser así
			la tristeza
		nos gustan	las mentiras
			las hipocresías
			las envidias
		nos agrada	ser oídas

4.2. Practica

1. a. molesta, molestan; **b.** duelen; **c.** encanta; **d.** preocupan; **e.** gusta; **f.** gustan, agradan; **g.** interesa.

2. a. Sr. Torres, ¿le molesta hablar en público? No, no. En realidad, hablar en público me gusta mucho; **b.** Pablo, mi amor, mira el vestido que me he comprado. ¿Te gusta? No mucho. Me parece demasiado corto; **c.** A Sabrina y a Claudia les encanta este hotel. ¿Tú qué opinas? A mí no me gustan los hoteles tan modernos; **d.** Si esta mesa os parece cara, os puedo ofrecer otras opciones. El precio no nos importa. Lo que no nos gusta es el color; **e.** ¿A ustedes les gusta el cine de Saura? A mí me encantan sus películas, pero creo que a Jorge no le gustan mucho.

3. A tus niños les gusta hacer deporte; A mis amigos no les interesa la política; Al profesor de Matemáticas le preocupa el desinterés de sus alumnos; A ti nunca te gustan mis regalos; A Julia y a mí nos encanta caminar por la ciudad; A mí me gustan tus zapatos nuevos; A vosotros os molesta admitir que estáis equivocados.

4. a. (A mí) me encanta ir de compras; **b.** (A ella) no le gustan las fiestas ruidosas; **c.** ¿(A vosotros) os molesta la música?; **d.** A mi padre le duele la cabeza; **e.** A mis hermanos les preocupa la situación familiar; **f.** (A ti) no te interesa nada; **g.** A Pablo y a mí nos gusta la comida mexicana.

5. a. A mí no; **b.** A nosotros tampoco; **c.** A mí también; **d.** A mí sí; **e.** A mí no; **f.** A mí también; **g.** A mí tampoco; **h.** A mí no.

Capítulo 12. Los posesivos

4.1. Identifica

2. Les dicen que a los años de él y a los años de ella ya no tienen edad para amarse. Pero él sigue vivo. Sus manos todavía pueden acariciar, y sus labios quieren besar los de ella. Sus pies aún recuerdan los viejos pasos de baile, y sus brazos todavía pueden abrazarla, para protegerla, otra vez, de cualquier viento. Ni los sentimientos de ella ni los sentimientos de él tienen arrugas, están limpios, claros a la luz de sus ojos. El cuerpo de ella y el cuerpo de él hace mucho que dejaron de ser niños; pero ella tiene los ojos azules de niña traviesa, y el alma de él la busca. El tiempo ha pasado y sus vidas han vivido mucho. Pero ahora vuelven a unirse, no en su hora final, sino en una nueva hora primera. No importan sus hijos y nietos, que llevan su sangre; pero no sus sentimientos. Que a sus años van a amarse hasta el final.

4.2. Practica

1. a. tu; **b.** nuestros; **c.** sus; **d.** su; **e.** mis; **f.** su; **g.** vuestra; **h.** tus, nuestro.

2.

	Un poseedor	**Dos o más poseedores**
Esta es mi habitación.	Esta habitación es la mía.	Esta habitación es la nuestra.
Estas son mis llaves.	Estas llaves son las mías.	Estas llaves son las nuestras.
Este es mi lugar.	Este lugar es el mío.	Este lugar es el nuestro.
Estos son mis apuntes.	Estos apuntes son los míos.	Estos apuntes son los nuestros.
Este es tu coche.	Este coche es el tuyo.	Este coche es el vuestro/suyo.
Esta es tu casa.	Esta casa es la tuya.	Esta casa es la vuestra/suya.
Estos son tus lapiceros.	Estos lapiceros son los tuyos.	Estos lapiceros son los vuestros/suyos.
Estos son tus perros.	Estos perros son los tuyos.	Estos perros son los vuestros/suyos.
Esta es su cartera.	Esta cartera es la suya.	Esta cartera es la suya.
Estas son sus compras.	Estas compras son las suyas.	Estas compras son las suyas.
Este es su gorro.	Este gorro es el suyo.	Este gorro es el suyo.
Estos son sus paquetes.	Estos paquetes son los suyos.	Estos paquetes son los suyos.

3. a. Vivo cerca de mi familia y eso me agrada. Solamente dos tíos míos no viven en la ciudad y es una pena porque no los veo mucho, principalmente a mis primos, o sea, sus hijos; **b.** ¿A usted le parece bien que su perro ensucie mi vereda? ¡Cómo se nota que no es la suya!; **c.** Estamos aquí para escucharlo: sus problemas son los nuestros; **d.** Sin duda, tu amistad y la mía pueden ayudar a Fermín en este momento. Vamos a visitarlo; **e.** ¿Estás bien? Tu voz está extraña, no parece la tuya; **f.** Chicos, dejad vuestras mochilas y vuestros abrigos en el guardarropas del museo; **g.** Nuestros objetivos son comunes y eso nos hace un buen grupo de trabajo.

4. a. Señora, ¿este monedero es suyo? Sí, gracias. Es mío. De nada; **b.** Niños, ¿esta pelota es suya/vuestra? No, no es nuestra; **c.** ¿Ómnibus o taxi? ¿Cuál es tu/su preferencia? Si de preferencias hablamos, la mía es caminar. Cuando no lo puedo hacer, cojo un ómnibus o un taxi; **d.** ¿Cuál es tu/su nombre? Renata. ¿Y el tuyo/suyo? Gustavo; **e.** ¡Hola, Gretel! Te presento a mi amiga Hilda y a una hermana suya. Chicas, esta es Gretel, una gran amiga mía.

5. a. Está; **b.** las; **c.** Su, la tuya; **d.** míos; **e.** el.

6. a. Cuando los necesito, sé que puedo acudir a los míos; **b.** Muy señor mío, le escribo para solicitarle el envío del material…; **c.** ¡No te metas en mis asuntos! Tú a lo tuyo, si no quieres que me enoje; **d.** Al fin Ana se ha peleado con su novio. ¡Esta es la mía! La voy a invitar a salir hoy mismo; **e.** Siempre quieres salirte con la tuya, pero esta vez será diferente: tendrás que aceptar lo que hemos decidido tu padre y yo; **f.** No me sorprende que Julia no te deje ver sus informes. Es muy suya.

Capítulo 13. **Los demostrativos**

4.1. **Identifica**

Noción espacial: este aparato (texto a); **Noción temporal:** aquella Managua (texto b), aquel muchachito (texto c), este hombre (texto c), aquellos años (texto c), aquella picardía (texto c), aquellos ensayos (texto c), aquellos primeros amoríos (texto c); **Noción textual:** este inmueble (texto b).

4.2. **Practica**

1. a. Este auto es de Marcelo; **b.** Esa llave es de tu casa; **c.** Aquella casa tiene tres dormitorios; **d.** Aquel jardín es muy bonito; **e.** Este ordenador está roto; **f.** Ese edificio es muy antiguo; **g.** Aquel libro tiene 300 páginas; **h.** Esa mesa está llena de papeles; **i.** Esta puerta está abierta; **j.** Aquella ventana no tiene cortina.

2. a. aquella; **b.** aquel, esta; **c.** Estos; **d.** esa; **e.** aquellos; **f.** Este, ese; **g.** Esta.

3. a. Aquellos; **b.** Este, estas; **c.** Ese; **d.** Esa, aquella; **e.** Este, aquel.

4. a. Esa es otra; **b.** En una de esas; **c.** no me vengas con esas; **d.** Con que esas tenemos.

Capítulo 14. Los números

4.1. Identifica

1. Verdaderas: a, c, d, f, h e i; **Falsas:** b, e, g, i, j y k.

2. Cardinales: quince, un, cien, mil trescientos, doscientos cincuenta, cuatro; **Ordinales:** sexto, primer; **Partitivos:** la onceava parte, la quinta parte, un sexto; **Múltiplos:** triple, siete veces más; **Distributivos:** sendos, cada.

4.2. Practica

1. a. dieciséis – dieciocho – <u>veinte</u> – <u>veintidós</u> – veinticuatro – <u>veintiséis</u> – <u>veintiocho</u> – <u>treinta</u> – <u>treinta y dos</u> – <u>treinta y cuatro</u>; **b.** sesenta y ocho – setenta y uno – <u>setenta y cuatro</u> – <u>setenta y siete</u> – <u>ochenta</u> – <u>ochenta y tres</u> – <u>ochenta y seis</u>; **c.** <u>ciento cuarenta y cuatro</u> – ciento cuarenta y ocho – ciento cincuenta y dos – <u>ciento cincuenta y seis</u> – <u>ciento sesenta</u> – <u>ciento sesenta y cuatro</u>; **d.** ochocientos uno – ochocientos dos – ochocientos cuatro – <u>ochocientos cinco</u> – <u>ochocientos siete</u> – <u>ochocientos ocho</u> – ochocientos diez – ochocientos once – ochocientos trece – <u>ochocientos catorce</u> – <u>ochocientos dieciséis</u> – <u>ochocientos diecisiete</u>.

2. a. mil doscientos cuarenta y cinco; **b.** dos mil nueve; **c.** tres mil treinta y siete; **d.** seis mil setecientos veintitrés; **e.** siete mil novecientos ochenta y nueve; **f.** catorce mil trescientos sesenta y seis; **g.** setenta y ocho mil quinientos cuarenta y cuatro; **h.** doscientos cincuenta y seis mil ochocientos noventa y siete; **i.** setecientos sesenta y tres mil doscientos sesenta y ocho; **j.** un millón novecientos setenta y siete mil cuatrocientos doce.

3. a. un; **b.** uno; **c.** cuarenta y un; **d.** treinta y uno; **e.** cincuenta y un; **f.** sesenta y uno; **g.** veintiuno; **h.** ciento un.

4. a. tercera; **b.** quinto; **c.** décimo cuarto; **d.** décimo segunda; **e.** segundo; **f.** primera; **g.** sexto, séptimo; **h.** décimo tercero; **i.** octavo; **j.** décimo; **k.** décimo primero.

5. a. primer; **b.** primero; **c.** tercer; **d.** tercero; **e.** primer; **f.** tercer; **g.** tercer; **h.** primero; **i.** tercero.

6. a. un décimo; **b.** un octavo; **c.** un séptimo; **d.** un cuarto; **e.** un quinto; **f.** un tercio; **g.** cuarta; **h.** mitad.

7. a. doble; **b.** cuádruple; **c.** quíntuple; **d.** triple; **e.** doble.

Capítulo 15. Los indefinidos

4.1. Identifica

1. 1-a; 2-a; 3-b; 4-a; 5-a; 6-b; 7-b; 8-b.

2.

	Indefinidos que se refieren a			
	personas y cosas no especificadas	cantidad	personas o cosas diferentes	personas o cosas de un mismo grupo
1		todos		
2	nadie			
3		bastante		
4		demasiado		
5		varias		
6				cualquier
7		todas	demás	
8			otros	

4.2. Practica

1. Personas: a. Alguien y d. nadie; **Cosas:** b. algo, c. nada, e. nada.

2. a. alguien; **b.** algo, nada; **c.** algo; **d.** nada; **e.** nadie; **f.** Alguien.

3. a. Ninguno; **b.** ningún; **c.** Algunos; **d.** alguna; **e.** algún; **f.** pocos; **g.** muy; **h.** muchas; **i.** mucho; **j.** muy; **k.** bastante, muy; **l.** bastantes; **m.** bastante; **n.** demasiado; **ñ.** demasiada.

4. Una característica interesante de esta era de mundialización es cómo <u>cualquier</u> empresario –con la imaginación apropiada, banda ancha de Internet y un pequeño capital– puede formar una empresa mundial usando trabajadores y clientes de <u>cualquier</u> lugar para que hagan <u>cualquier</u> cosa para <u>cualquiera</u>. Quizás la regla de mayor importancia en este mundo <u>cada</u> vez más plano sea la siguiente: <u>cualquier</u> cosa que se pueda hacer, se hará; ya que hoy día hay muchísima gente que tiene acceso a las herramientas de innovación y conectividad.

5. a. iguales, misma, mismo, mismos; **b.** mismos, iguales; **c.** semejante; **d.** misma, semejantes/iguales, mismo.

6. a. Esos pocos; **b.** estas otras; **c.** Tu otro; **d.** muchos otros; **e.** alguna otra; **f.** muy poca; **g.** ninguno de sus.

Capítulo 16. Los adverbios y las expresiones de tiempo

4.1. Identifica

Localización puntual: anoche, ayer; **Secuencia:** inmediatamente después; **Frecuencia:** usualmente, a menudo (2); **Cantidad de tiempo transcurrido:** hace (solo) unos días; **Duración:** aún; **Inicio/ término:** recién, ya.

Texto 1: a. ayer por la noche; b. cerca una de la otra; **Texto 2:** a. normalmente; b. casi nunca; **Texto 3:** frecuentemente; **Texto 4:** a. justo después; b. la acción de sacar acabó de ocurrir.

4.2. Practica

1. a. <u>Casi todos los días</u> lee y responde e-mails; **b.** <u>El mes pasado</u> tuvo una reunión con todos los clientes de la empresa; **c.** <u>Mañana por la tarde</u> tiene el cumpleaños de Sofía; **d.** <u>Hace tres días</u> fue a la biblioteca; **e.** <u>El mes que viene</u> dará una charla; **f.** <u>A menudo</u> practica deportes; **g.** <u>Ayer</u> almorzó con los clientes de la empresa; **h.** <u>Pasado mañana</u> almorzará con su familia; **i.** <u>Esta tarde</u> va al cine con Marcos; **j.** <u>Ya</u> fue al oculista este mes.

2. a. todavía; **b.** recién; **c.** ya; **d.** recién, ya; **e.** todavía.

3. a. Desde hace una semana Sofía está enferma, pero los médicos aún no saben qué tiene; **b.** Ayer los niños jugaban a la pelota en el jardín, en cambio, hoy los niños juegan a los videojuegos dentro de casa; **c.** Recién empezamos a trabajar en el proyecto y ya encontramos muchos problemas; **d.** Pedro come siempre mucha grasa y fritura, por eso frecuentemente tiene que controlarse el colesterol; **e.** Primero lávese las manos para enseguida empezar a cocinar; **f.** Por la mañana no me levanto temprano porque me acuesto tarde por la noche.

Capítulo 17. El pretérito perfecto simple (indefinido)

4.1. Identifica

La semana pasada <u>ocurrieron</u> varias peleas en la vía pública protagonizadas por mujeres mayores de edad. El primero de los episodios <u>ocurrió</u> en un supermercado donde <u>discutieron</u> acaloradamente dos vecinas. Según algunos testigos, las mujeres no solo se <u>dijeron</u> de todo sino que hasta <u>llegaron</u> a agredirse físicamente. No se <u>divulgaron</u> los motivos de la discusión.

Las otras dos peleas se <u>produjeron</u> el jueves. La primera <u>fue</u> a las 11:40 de la mañana en la esquina del Banco Nación. Allí <u>tuvieron</u> una fuerte discusión Blanca Rosa V. y Susana Beatriz F. Tras los insultos verbales, ambas se <u>agarraron</u> de los cabellos y se <u>arrastraron</u> por la vereda. <u>Intervino</u> el personal policial para separarlas. Una de ellas <u>resultó</u> lesionada. El motivo de la pelea <u>fue</u> una deuda impaga. El mismo día, a las 19:15 María de los Ángeles F. <u>fue</u> agredida por dos hermanas de apellido Aguirre.

Pretérito perfecto	Infinitivo	Pretérito perfecto	Infinitivo
ocurrieron	ocurrir	tuvieron	tener
ocurrió	ocurrir	agarraron	agarrar
discutieron	discutir	arrastraron	arrastrar
dijeron	decir	intervino	intervenir
llegaron	llegar	resultó	resultar
divulgaron	divulgar	fue	ser
produjeron	producir	fue	ser

4.2. Practica

1. Yo: dividí, estudié, cogí; **Tú:** cogiste, dividiste, estudiaste; **Él, ella, usted:** estudió, dividió, cogió; **Nosotros/as:** dividimos, estudiamos, cogimos; **Vosotros/as:** estudiasteis, cogisteis, dividisteis; **Ellos/as, ustedes:** cogieron, estudiaron, dividieron.

2.

	yo	tú, vos	él, ella, usted	nosotros/as	vosotros/as	ellos/as, ustedes
Seguir	seguí	seguiste	siguió	seguimos	seguisteis	siguieron
Repetir	repetí	repetiste	repitió	repetimos	repetisteis	repitieron
Intuir	intuí	intuiste	intuyó	intuimos	intuisteis	intuyeron

	yo	tú, vos	él, ella, usted	nosotros/as	vosotros/as	ellos/as, ustedes
Dormir	dormí	dormiste	durmió	dormimos	dormisteis	durmieron
Poner	puse	pusiste	puso	pusimos	pusisteis	pusieron
Saber	supe	supiste	supo	supimos	supisteis	supieron
Traer	traje	trajiste	trajo	trajimos	trajisteis	trajeron
Estar	estuve	estuviste	estuvo	estuvimos	estuvisteis	estuvieron
Seducir	seduje	sedujiste	sedujo	sedujimos	sedujisteis	sedujeron

3. a. Ayer empecé el trabajo a las ocho; **b.** Jugué toda la tarde en la plaza; **c.** Critiqué su actuación; **d.** Finalmente pagué todas las cuentas; **e.** Analicé los exámenes; **f.** Identifiqué al ladrón; **g.** Adelgacé gracias a la dieta.

4. a. Ayer Daniel sintió frío durante todo el viaje; **b.** El mes pasado el temporal destruyó la ciudad; **c.** El sábado pasado los chicos durmieron durante toda la película; **d.** El sábado pasado, Marcela eligió el restaurante; **e.** Mis padres oyeron un ruido extraño en la cocina; **f.** Anteayer los deportistas compitieron bajo la lluvia.

5. a. Andrea me <u>pidió</u> un regalo de Argentina y yo le <u>traje</u> un poncho de vicuña; **b.** Leí en el diario que ayer <u>murió</u> el famoso escritor José Saramago; **c.** El sábado, Alejandra y yo no <u>pudimos</u> viajar a Santiago, pues su madre no se <u>sintió</u> bien y <u>tuvimos</u> que llevarla al médico; **d.** Un famoso arquitecto <u>construyó</u> un moderno teatro de ópera en la ciudad. En el frente del edificio <u>incluyó</u> detalles de arte clásico; **e.** <u>Hubo</u> mucha gente en la fiesta de casamiento de Daniela. <u>Vinieron</u> invitados de diversas partes del país; **f.** El director <u>condujo</u> la reunión de la semana pasada con tanta habilidad que, por suerte, no se <u>produjeron</u> altercados entre los participantes; **g.** El domingo pasado, como mi marido y los chicos no <u>consiguieron</u> entradas para la cancha, <u>vieron</u> el partido por televisión.

6. – ¿Cómo te <u>eligió</u> Woody Allen para su película?
– Le <u>conocí</u> en Nueva York, en una reunión que <u>duró</u> menos de un minuto. Me <u>propuso</u> trabajar en su próxima película y le <u>dije</u> que sí. Al cabo de un tiempo me <u>llegó</u> el guión y cuando lo <u>leí</u>, me <u>encantó</u>, me <u>hizo</u> reír.

7. El 19 de abril de 1932 <u>nació</u> Fernando Botero en Medellín.
1938-1949: <u>Cursó</u> estudios primarios en el Colegio Bolivariano de secundaria. <u>Llevó</u> sus primeros dibujos –toros y toreros– al almacén de don Rafael Pérez. Su primera obra <u>fue</u> vendida por dos pesos. En 1948 dos de sus acuarelas <u>fueron</u> incluidas en una muestra colectiva en el Instituto de Bellas Artes de Medellín.
1949-1950: Botero <u>estudió</u> en el Liceo San José y en la Normal de Marinilla. <u>Trabajó</u> como dibujante en el suplemento dominical de *El Colombiano*. <u>Diseñó</u> la escenografía para la obra *Ardiente oscuridad*, de Bueno Vallejo, montada por el grupo español de teatro Lope de Vega, de gira por el país. <u>Colaboró</u> en el programa radial *Panorama Intelectual*. <u>Se instaló</u> en Bogotá, donde se <u>unió</u> a la vanguardia artística y <u>participó</u> en varias exposiciones colectivas.
1951: <u>Realizó</u> su primera exposición individual en la Galería Leo Matiz. Importantes artistas <u>se interesaron</u> por su trabajo. <u>Viajó</u> a Tolú, en la costa caribe del país. Allí, en la pensión de Isolinia García <u>pagó</u> sus cuentas con un mural.

4.3. **Aplica**

¿Dónde y cuándo naciste?; ¿Cuándo y cómo empezó tu carrera de actor?; ¿Cuál fue tu primer papel?; ¿Después de *Champaña*, trabajaste en otras series?; ¿Cuáles fueron los personajes que más te marcaron?; ¿Trabajaste en alguna película cinematográfica?

Capítulo 18. El pretérito imperfecto de indicativo

4.1. Identifica

1. Falsas: Relata un hecho puntual de su niñez, única vez que jugó con su prima Isabel; Utiliza «aquel entonces» para hacer referencia al presente.
Verdaderas: Presenta dos protagonistas en su relato: ella y su prima Isabel; Describe el juego que se repitió durante un determinado tiempo de su niñez; Presenta la realidad de la terraza como el mundo imaginario de dos niñas; Utiliza «en ese momento» para retomar «cuando subíamos a la terraza».

2.

Cuando era chica, más o menos tendría siete u ocho años, jugaba con mi prima Isabel.	hechos simultáneos en el pasado
Cuando subíamos a la terraza, nos transformábamos.	hechos simultáneos en el pasado
En la terraza no había deberes, ni tareas, ni obligaciones.	hecho habitual en el pasado
En realidad yo era morocha y tenía trenzas.	descripción en pasado
La terraza separaba el mundo real del imaginario.	descripción en pasado

4.2. Practica

1. a. Solíamos quedarnos horas en la biblioteca; **b.** ¿Cantaba en un coro?; **c.** Vivíais por aquí, ¿no?; **d.** Mis abuelos me contaban anécdotas increíbles; **e.** Tú no comías carne, ¿verdad?; **f.** Sofía y Federica eran fans de un grupo de *rock;* **g.** Siempre superaba los problemas; **h.** No bebía más que agua en las fiestas.

2. a. Cuando Helena <u>vivía</u> con su familia en una casa con jardín, <u>tenía</u> un perro que <u>se llamaba</u> Salchi; **b.** En la época de mi abuela las clases <u>empezaban</u> antes y <u>terminaban</u> más tarde; **c.** Leandro <u>iba</u> a venir a la fiesta, pero no se <u>sentía</u> bien, <u>estaba</u> con un fuerte dolor de cabeza; **d.** Los dos hermanos <u>eran</u> médicos oftalmólogos muy famosos y no <u>veían</u> nada bien. <u>Usaban</u> anteojos con muchísimo aumento. ¡Qué ironía!

3. 1-h; 2-f; 3-a; 4-b; 5-e; 6-d; 7-g; 8-c.

Capítulo 19. Contraste entre el pretérito perfecto simple y el pretérito imperfecto

4.1. Identifica

a. Falsas: a. Solo una vez Simbad se lamentó de su suerte; **c.** Simbad iba siempre a la casa del hombre rico; **e.** En la frase *Pero un día un hombre desconocido* <u>*escuchó*</u> *las quejas del joven y lo* <u>*invitó*</u> *a su casa* los verbos subrayados pueden sustituirse por *escuchaba* e *invitaba*.
Correctas: b. Simbad siempre se quejaba de su suerte; **d.** En la casa del hombre rico, Simbad se encontró con un hombre de mar.

b. a. describen la vida que llevaba Simbad: vivía en Bagdad, era muy pobre, trabajaba llevando pesados fardos, no le gustaba su trabajo - pretérito imperfecto; **b. describen la actitud de Simbad:** se quejaba, se lamentaba - pretérito imperfecto; **c. describen al hombre desconocido:** era un hombre muy rico, vivía en una casa hermosa - pretérito imperfecto; **d. describen la sala:** Había una mesa repleta de comida y bebida, Alrededor de ella estaban sentadas varias personas - pretérito imperfecto; **e. se cuentan acontecimientos pasados puntuales:** Pero un día un hombre desconocido escuchó las quejas del joven y lo invitó a su casa, Cuando Simbad llegó a la residencia, un criado lo condujo a una sala, Un anciano habló de la siguiente manera - pretérito perfecto simple.

4.2. Practica

1. a. Ayer se puso un abrigo porque hacía frío; **b.** Ayer estábamos muy ocupados cuando llamaste; **c.** La semana pasada caminaba por el parque cuando vi a mi exnovio; **d.** Anoche salieron a cenar porque no había comida en casa; **e.** El viernes pasado no fuimos al colegio porque era día festivo; **f.** Nos conocimos cuando estudiábamos Medicina; **g.** Cuando trabajaba en el banco, ingresó en la universidad.

2. – Cuéntame un poco de tu vida.
   – Bueno, mi familia vivía en Alemania, pero se mudó a Caracas cuando yo tenía dos años.
   – Quiere decir que hablas alemán, ¿no?
   – En realidad hablaba alemán cuando era niño, pero luego dejé de practicarlo y ahora lo hablo muy mal.
   – ¿A qué se dedicaba tu familia en Europa?
   – Mi padre trabajaba como ingeniero en una fábrica y mi madre era maestra.
   – ¿Y por qué se mudaron a Venezuela?
   – Es que mi tío ya vivía aquí. Tenía una empresa que funcionaba muy bien e invitó a mi padre para ser su socio.

Capítulo 20. El participio

4.1. Identifica

1-a, finca ajardinada; 2-d, paseo guiado; 3-d, sector dedicado; 4-f, almuerzo acompañado; 5-a, bailes realizados; 6-e, artistas preparados.

4.2. Practica

1. Participios regulares: explicado, bebido, partido, amado, leído, vivido, estudiado, dividido, jugado, sentido, analizado; **Participios irregulares:** resuelto, entreabierto, contradicho, inscrito, propuesto, hecho, vuelto; **Participios con dos posibilidades:** impreso/imprimido, poseso/poseído, electo/elegido.

2. a. Explicada; **b.** bebido; **c.** entreabierta; **d.** Hecho; **e.** leído, elegido; **f.** amado; **g.** vivido, vuelvo; **h.** Analizadas, resuelto; **i.** partidas; **j.** perdidos.

3. a. proporcionadas; **b.** proporcionado; **c.** hecho; **d.** hechas; **e.** vendidos; **f.** vendido; **g.** Terminada; **h.** terminado; **i.** guiadas, sugeridas; **j.** guiada, sugerido.

4.3. Aplica

Nuestras visitas y precios
«Paseo guiado diario» pensado para particulares - *La historia de la transformación desde el Islam al Cristianismo*:
Adultos: 12 € - Estudiantes y pensionistas: 10 € - Menores de 14 años: 0 €

Visitas guiadas a la «Alhambra y al Generalife» para particulares, formando parte de un grupo:
Adultos 49 € - Menores de 12 años gratis.

Servicios que incluye:
- Recogida en el hotel.
- Entrada al monumento.

- Visita guiada por un guía oficial.
- Duración aproximada: 3:00 horas.

Precios de nuestros paseos guiados 2010-11 para grupos y servicios privados:
En días laborables: 140 + IVA (18%) = 165,2
Sábados, domingos y festivos (también visitas y paseos nocturnos): 170 + IVA (18%) = 200

En algunos casos, la agencia ofrece la posibilidad de incrementar la duración y el contenido del itinerario elegido, a veces alargando el itinerario, otras visitando a su paso el interior de algún monumento no previsto.
Suplemento de visita extraordinaria (1 hora extra): 35 + IVA (18%) = 41€

El coste de las entradas a los monumentos no está incluido.

Se pueden hacer tantos grupos como se desee, pues en la agencia contamos con un equipo de guías habilitados ya instruidos en nuestros itinerarios y sus contenidos, lo que nos permite ofrecer las visitas y paseos guiados a varios grupos de forma simultánea.

La agencia ofrece sus servicios guiados en los siguientes idiomas: castellano, inglés, alemán, francés e italiano.

Capítulo 21. El pretérito perfecto compuesto de indicativo

4.1. Identifica

1. **Verdaderas: Texto 1**, Unos diseñadores han creado cabinas para dormir cómodamente en los aeropuertos; **Texto 2**, El huracán ha producido muchos problemas, pero menos de los esperados; **Texto 3**, A David y a su familia les ha gustado mucho Sitges; **Texto 4**, Los profesores aún no han recibido el aumento; **Texto 5**, Durante la mañana, Matías ha trabajado en su casa.

   Falsas: Texto 2, El huracán ha destruido viviendas, pero no ha habido víctimas; **Texto 3**, David nunca ha estado en México; **Texto 4**, El secretario del sindicato de profesores ha prometido un aumento de sueldo de los profesores; **Texto 5**, Matías se disculpa porque no ha ido a casa de Paco.

2.

	Pretérito perfecto compuesto
yo	he estado, he ido, me he levantado, he preparado, he podido, he tenido
tú, vos	has hecho
él, ella, usted	ha provocado, ha dejado, ha prometido
nosotros, nosotras	hemos ido
vosotros, vosotras	habéis dormido
ellos, ellas, ustedes	han sido, han encantado, han venido, han creado, han pagado

3. **a.** 2 y 4; **b.** 5; **c.** 1 y 3.

4.2. Practica

1. **a.** Alejandro ha puesto la mesa; **b.** Estos niños han dicho la verdad; **c.** ¿Te he entregado el informe?; **d.** ¿Dónde habéis comprado la ropa?; **e.** ¿A qué hora has recogido a los niños en la escuela?; **f.** En la pla-

ya hemos compartido la habitación del hotel; **g.** Juan ha vuelto a las seis de la mañana; **h.** ¿Has visto ese pantalón azul?; **i.** Los abogados no han resuelto el caso; **j.** He hecho muy bien el trabajo.

2. **a.** ¿Alguna vez has descubierto un tesoro?; **b.** Pedro todavía no ha vuelto de Caracas; **c.** ¿Esta mañana habéis roto el jarrón chino?; **d.** ¿Alguna vez han viajado en barco?; **e.** Esta semana hemos tenido mucho trabajo; **f.** Ya he descubierto la solución; **g.** Este año han muerto mis abuelos; **h.** Carlos no ha vuelto todavía de la fiesta; **i.** Este mes has visto varias películas.

3. Te has enterado; he visto; he llamado; hemos quedado; ha puesto; hemos encontrado; han pedido.

4. Nora y Aldo se han levantado bien temprano. Aldo ha llevado el coche al taller mecánico y Nora ha ido a hacer compras de último momento. Luego, han almorzado en un pequeño restaurante. Aldo ha limpiado la casa y Nora ha planchado la ropa. Los dos han separado la ropa para llevar y Nora ha hecho las maletas.

Capítulo 22. Contraste entre el pretérito perfecto simple (indefinido) y el compuesto

4.1. Identifica

1. **Texto 1:** Este año; **Texto 2:** Ricardo Arjona; Ayer por la tarde; **Texto 3:** Se han inaugurado tres obras en el polideportivo municipal; Esta tarde; **Texto 4:** El año pasado; **Texto 5:** El lunes pasado; Se registró una treintena de seísmos.

2.

	Pretérito perfecto simple (indefinido)	Expresiones de tiempo	Pretérito perfecto compuesto	Expresiones de tiempo
1			se ha construido	este año
2	llegó	ayer por la tarde		
3			se ha inaugurado han asistido	esta tarde
4	se enviaron	el año pasado		
5	se produjeron hubo	la semana pasada el lunes pasado	ha habido	esta semana

4.2. Practica

1.

Querido Óscar:
¿Cómo estás? Hace mucho tiempo que no tengo noticias tuyas. La semana pasada me encontré con tu madre en la calle y me contó sobre tu vida.
La razón de este correo es para contarte que esta semana he recibido una noticia estupenda. ¿Recuerdas que el año pasado envié una solicitud para un puesto en un banco en Madrid? Bueno... pues este lunes me han dado una respuesta muy positiva, así que dentro de una semana debo viajar a Madrid para tener algunas entrevistas. ¿Alguna vez te has sentido muy nervioso y ansioso? Bueno, pues es así como estoy yo. Ayer mismo fui a renovar mi pasaporte, y hoy por la mañana he recorrido algunas tiendas para comprarme ropa de invierno, que allí en esta época hace mucho frío. Todavía no les he dicho nada a mis padres. Le quiero dar una sorpresa a mi papá mañana, que es su cumpleaños.
Óscar, si tienes un minuto de tiempo (sé que últimamente has estado muy ocupado), ¿puedes llamarme?

2. a. – ¿Qué te <u>ha pasado</u> hoy, Carlos? ¿Por qué <u>has llegado</u> tan tarde?
   – Es que esta mañana <u>he tenido</u> que llevar a los niños al colegio porque mi esposa <u>se enfermó</u>.

b. – ¿Ya <u>habéis estado</u> vosotros en Perú?
   – No. La verdad es que Roberto y yo siempre <u>hemos querido</u> ir, pero hasta ahora no <u>hemos podido</u>.

c. – Hace un mes que <u>dejé</u> de fumar.
   – ¿Y cómo te sientes?
   – Magnífico. Ayer, por ejemplo, <u>fui</u> al gimnasio e <u>hice</u> una hora de ejercicios. Antes eso era imposible.
   – Pues te felicito.

d. – ¿Sabes que Juliana <u>se casó</u> el año pasado?
   – ¡No me digas! ¿Y con quién?
   – Con un chico que <u>conoció</u> en un viaje que <u>hizo</u> al Caribe en 2008.
   – ¿Y cómo está?
   – Estupenda. Este mes <u>ha tenido</u> a su primer hijo. Es una niña preciosa.

e. – ¿<u>Has terminado</u> ya los ejercicios de español?
   – No, ni me hables. Todavía ni la <u>he empezado</u>. Es que anoche <u>salí</u> a bailar con Sandra y <u>me he acostado</u> esta mañana. ¡Y ahora estoy muy cansado!

Capítulo 23. El objeto directo y los pronombres objeto directo

4.1. Identifica

Texto	Pronombre y verbo	Se refieren a...
A	la vendo, la uso	la moto
B	los conozco, espero verlos	los integrantes del grupo *Los auténticos decadentes*
C	la enviaban, los llamé	la falda, a los estimados señores
D	limpiarlas, les recomiendo, ducharlas, hacerlo, mantenerlas	las plantas, ustedes, las plantas, duchar las plantas, las plantas
E	úsalas, las tires, donarlas, entregarlos	las hojas impresas de un solo lado, las revistas, las cartulinas y los cartones

4.2. Practica

1. a-4; b-6; c-10; d-7; e-9; f-5; g-11; h-3; i-2; j-1; k-8.

2. a. Marcela los lleva al colegio; **b.** Voy a prepararla/La voy a preparar; **c.** Alicia lo ha comprado; **d.** Lo sabemos; **e.** No los dejes sobre la mesa; **f.** Hace dos que lo llamé; **g.** Lo reconozco; **h.** No lo sé; **i.** La convocaron ayer; **j.** Ponlas aquí.

3. a. Compré dos sillas de estilo y las puse en la sala; **b.** El coche de Leonardo se descompuso, por eso mañana lo va a llevar/va a llevarlo al mecánico; **c.** Alberto tiene dificultades con la computadora porque no la usa frecuentemente; **d.** Voy a sacar los dos armarios de la sala y voy a ponerlos en el escritorio; **e.** El balance todavía no está listo, pero Alicia lo está terminando/está terminándolo; **f.** Joselito rompió el jarrón chino, pero no lo hizo a propósito.

4. a. Mariana está perdidamente enamorada de Agustín. <u>Lo</u> conoció Ø en la casa de una amiga de la facultad. Estuvieron hablando toda la noche y, cuando Ø llegó el momento de irse, él se Ø ofreció a Ø acompañar-<u>la</u> a su casa. No cabe duda de que Agustín Ø es todo un caballero.
b. Estimado cliente: Si en su casa Ø tiene objetos que no usa y Ø están en buen estado, no <u>los</u> tire Ø, Ø tráiga<u>los</u> a nuestra tienda. Nosotros ofrecemos los mejores valores en objetos usados.
c. Llegamos al pequeño poblado un domingo de mañana. Ø buscamos algún hotelito donde descansar y <u>lo</u> encontramos en una calle, al lado de la iglesia. Como la puerta estaba abierta, Ø entramos. Había una mujer durmiendo plácidamente en una silla mecedora. <u>La</u> despertamos con el ruido de la puerta. Con desgano nos mostró las dos únicas habitaciones que tenía libres. <u>Las</u> vimos Ø y nos quedamos con la más pequeña porque tenía la vista más bonita.

5. a. Graciela aplaudió Ø el discurso del senador; **b.** A la salida del concierto vimos <u>a</u> los hermanos de Beatriz y los saludamos; **c.** Hay que colocar Ø estos libros en el estante; **d.** Todas las mañanas, saco a pasear <u>a</u> mi perro; **e.** El gobierno ayuda <u>a</u> los desempleados; **f.** Durante años, Natalia buscó <u>a</u> un hombre que había conocido en un viaje a Perú; **g.** Ángel buscó siempre Ø una mujer que lo comprendiera. Nunca la encontró; **h.** Después de varios años, encontraron <u>a</u> los ladrones.

6. a. Tengo un vestido azul. Casi nunca lo uso. Normalmente me lo pongo cuando tengo una fiesta; **b.** Si tanto te gusta Ana, llámala por teléfono e invítala a salir; **c.** Pedro dice que está cansado. Lo dice porque no tiene ganas de ir al cine; **d.** He comprado dos sillones usados muy bonitos. Los he mandado a reparar y los he puesto en la sala. Un amigo los ha visto y ha dicho que parecían nuevos; **e.** La mejor forma de lavar las zapatillas de tela blanca es ponerlas en remojo con agua y sal hasta que suelten toda la suciedad. A continuación las frotas con un detergente de lavadora y les aplicas pasta de dientes con ayuda de un cepillo. Por último, acláralas bien con agua fría.

Capítulo 24. El objeto indirecto y los pronombres objeto indirecto

4.1. Identifica

1. Texto 1: Jorge Salinas <u>le</u> propone matrimonio a Elizabeth Álvarez. El actor <u>le</u> entregó el anillo de compromiso a su novia en Nochebuena; **Texto 2:** <u>Te</u> digo y no <u>me</u> entiendes. <u>Te</u> la repito y no <u>me</u> comprendes. ¿Qué es? (La letra *T*); **Texto 3:** Google <u>nos</u> manda un mensaje si queremos entrar en una página peligrosa; **Texto 4:** ¡Hola! ¿Qué postre <u>os</u> trae recuerdos de vuestra niñez? <u>Os</u> cuento el mío: Flan. Un abrazo. Haydée; **Texto 5:** Libres de objetos inútiles. ¿Sus casas están llenas de objetos que no <u>les</u> sirven? ¡Nosotros <u>los</u> podemos ayudar! Retiramos sin costo todo tipo de objetos en desuso. Atendemos en toda la región. Llámennos al 6645-0887.

2.

Pronombres y verbos	Los pronombre se refieren a...
le propone	Elizabeth Álvarez
le entregó	Elizabeth Álvarez
te digo	Tú
me entiendes	Yo
te la repito	Tú
me comprendes	Yo
nos manda	Nosotros/as

Pronombres y verbos	Los pronombre se refieren a...
os trae	Vosotros/as
os cuento	Vosotros/as
les sirven	Ustedes
los podemos	Nosotros

3. Falsas: Elizabeth Álvarez no ha aceptado; la no comprensión de los que se dice; el buscador no permite el acceso a páginas peligrosas; Haydé pregunta y responde sobre ella misma; ofrece objetos en desuso y los entrega a domicilio.

Verdaderas: Elizabeth Álvarez recibió un anillo como símbolo de su compromiso; el pronombre *te* es igual al nombre de la letra *T*; las frases «te digo» y « te la repito»; El buscador alerta cuando intentamos el acceso a una página peligrosa; Haydée quiere saber qué postre les trae recuerdos a los demás participantes del foro; Haydée informa de cuál es el postre que le trae recuerdos a ella; recoge objetos en desuso de la casa de los demás; no cobra por sus servicios.

4.2. Practica

1. a-5; b-4; c-1; d-3; e-6; f-7; g-2.

2. a. La profesora les explica la lección con muchos ejemplos prácticos; **b.** Siempre le contesto las cartas que manda; **c.** Germán nos avisa siempre cuando cambian los horarios de la biblioteca; **d.** Mis amigos les hablan en español porque saben que son mexicanas; **e.** Os pido que vengáis a visitarme cuando tengáis tiempo; **f.** Teresa te dice la verdad, no te miente.

3. a. Ana no me quería decir la verdad/Ana no quería decirme la verdad; **b.** Los vecinos le comunican la novedad a Sofía; **c.** Hay que contarles todo urgentemente a tus hermanos; **d.** Juan, siento darte esta mala noticia; **e.** Mi hijo me está pidiendo una mochila nueva/Mi hijo está pidiéndome una mochila nueva; **f.** Debes sonreírle más a Juan/Le debes sonreír más a Juan; **g.** Pedro nos avisó de la reunión tarde; **h.** Nosotros les hemos hablado siempre de sus antepasados.

4. a. Mis amigos les dicen que soy muy pesimista; **b.** Rocío les/os va a traer un pastel de fresas/Rocío va a traerles/traeros un pastel de fresas; **c.** Chicos, no le mientan; **d.** Veo que me hablas, pero no escucho tu voz; **e.** Les están ofreciendo un viaje/Están ofreciéndoles un viaje; **f.** Ayudarte es mi deber como amiga; **g.** Los niños no nos obedecen nunca.

5. a. Me apetece un café; **b.** Sí, me gustan; **c.** No, no nos ha dicho nada; **d.** Sí, sí, me ha respondido con claridad; **e.** No, no les/os he mentido nunca.

4.3. Aplica

1. En telecinco.es te damos los mejores consejos para arrasar. El sentido del humor, el romanticismo y la seguridad en uno mismo son algunos de los trucos.

Habla, no te cortes
Conoces a una persona y no sabes cómo iniciar una conversación.
Sentido del humor
¿A quién no le gusta reír sin parar? La risa es activa, creativa, universal y, ante todo, contagiosa. Eso sí, sin pasarse.
Ligar con la mirada
Da igual si la sala está llena de gente. No hay nada como mirar a alguien fijamente a los ojos.

Romántico

A todo el mundo le gusta el romanticismo. Los detalles cuentan y al principio es muy importante no olvidarse de ellos.

Los amigos de tus amigos son mis amigos

Si con todos estos consejos no consigues una buena cita pídele ayuda a uno de tus amigos. Seguramente uno de ellos te podrá presentar a alguien. Si nadie cumple tus requisitos, busca en Internet. El amor *online* está de moda.

Capítulo 25. El uso de los pronombres de objeto directo e indirecto juntos

4.1. Identifica

1.

a)

Te los entregamos	*Te:* se refiere a quien está leyendo el texto.
	Los: se refiere a todos los folletos de tu empresa.

b)

Se las devolviste	*Se:* se refiere a un amigo.
	Las: se refiere a cosas prestadas.
Me lo dio/Me lo pidió	*Me:* se refiere a la persona que está hablando.
	Lo: se refiere al CD de Joaquín Sabina.
Se lo devolví	*Se:* se refiere al amigo que le prestó el CD.
	Lo: se refiere al CD de Joaquín Sabina.

c)

Se la ofrecieron	*Se:* se refiere a las otras personas.
	La: se refiere a la casa de verano.
Nos la quitaron	*Nos:* se refiere a quienes querían alquilar la casa y que escriben la queja.
	La: se refiere a la casa de verano.

d)

Se lo prometió	*Se:* se refiere a Lionel Messi.
	Lo: se refiere al hecho de que terminará jugando en el Barcelona.

4.2. Practica

1. a. Marcela te ha dado la dirección. Marcela te la ha dado; **b.** Ignacio no me contó que su esposa está embarazada. Ignacio no me lo contó; **c.** El profesor de español no nos entregó las pruebas. El profesor de español no nos las entregó; **d.** El jefe os dio los días de licencia. El jefe os los dio; **e.** Le he regalado una bonita edición del Quijote. Se la he regalado; **f.** Ayer les devolví el dinero que me prestaron. Ayer se lo devolví; **g.** Te han comunicado la noticia. Te la han comunicado; **h.** Le han avisado que vamos a viajar. Se lo han avisado.

2. a. Te los presto mañana; **b.** Se la regalaré para su cumpleaños; **c.** Todavía no te lo puedo decir/No puedo decírtelo; **d.** Nos lo ofreció, pero no lo aceptamos; **e.** Me lo he puesto para el casamiento de Santiago; **f.** Os las llevaré mañana después de la escuela; **g.** Me los están entregando de a poco/Están entregándomelos de a poco; **h.** No te lo quiero pedir más/No quiero pedírtelo más.

3. a. voy a dárselas; **b.** puedo prestarte/te puedo prestar, voy a pedírselo/se lo voy a pedir; **c.** me lo está contando/está contándomelo; **d.** puedo entregar, entrégamelos; **e.** me lo digas; **f.** se las estoy haciendo/estoy haciéndoselas.

4. a. Ahora mismo te lo llevo; **b.** Ahora mismo te las llevo; **c.** Ahora mismo te los lavo; **d.** Ahora mismo se los compro; **e.** Ahora mismo se lo entrego; **f.** Ahora mismo se la sirvo; **g.** Ahora mismo te los pago; **h.** Ahora mismo se las entrego.

5. a. Mis padres me regalaron una nueva lavadora. Me la regalaron para mi cumpleaños; **b.** Luis le contó a Sofía que se va a casar. Se lo contó porque le pidió que fuera la madrina; **c.** Seguramente Andrea nos va a regalar su sillón de cuero negro. Nos lo va a dar/Va a dárnoslo porque va a comprarse uno nuevo; **d.** Estoy mandando a Diego varias cajas de chocolates. Se las estoy enviando/Estoy enviándoselas a través de una amiga que va a comprarlas/las va a comprar en la tienda del aeropuerto; **e.** Luis, quiero pedirte tu coche prestado. Déjamelo hasta mañana. Voy a devolvértelo por la tarde. Lamentablemente no puedo prestártelo porque se lo di a Luis para que pueda ir a visitar a su madre.

6. a. te lo regalaré; **b.** ¿Me la prestas?; **c.** úsala, la necesitaré; **d.** se lo regalamos, le han regalado; **e.** me pasó, te la dio; **f.** te las regaló, Me las dejó, se las roben; **g.** le pedí, los tengo, se los traigo, Entrégueselos.

Capítulo 26. El imperativo afirmativo

4.1. Identifica

Falsas: El texto promueve el consumo de agua de cualquier tipo y Los verbos «desconfíe», «pida» y «exija» están conjugados en *tú* (texto a), En el texto se da una serie de órdenes y Los verbos «doble» y «repita» están conjugados en *tú* (texto b), Los verbos «vení», «encontrá», «conocé» e «inscribite» están conjugados en *tú* (texto c); **Verdaderas:** El texto es una publicidad de una determinada marca de agua y Los verbos «desconfíe», «pida» y «exija» están conjugados en *usted* (texto a), En el texto se da una serie de instrucciones y Los verbos «doble» y «repita» están conjugados en *usted* (texto b), El objetivo del texto es promover el encuentro de personas solas, El texto es una publicidad de una agencia que organiza casamientos y Los verbos «vení», «encontrá», «conocé» e «inscribite» están conjugados en *vos* (texto c).

4.2. Practica

1.

	tú	vos	usted	nosotros/as	vosotros/as	ustedes
cocinar	cocina	cociná	cocine	cocinemos	cocinad	cocinen
aprender	aprende	aprendé	aprenda	aprendamos	aprended	aprendan
abrir	abre	abrí	abra	abramos	abrid	abran
hacer	haz	hacé	haga	hagamos	haced	hagan
venir	ven	vení	venga	vengamos	venid	vengan
decir	di	decí	diga	digamos	decid	digan
poner	pon	poné	ponga	pongamos	poned	pongan
ir	ve	ve/andá*	vaya	vayamos	id	vayan

* Normalmente se utiliza el verbo *andar* como forma del imperativo del verbo *ir* en la persona *vos*.

2. a. lávate; **b.** empiecen; **c.** andá; **d.** pase; **e.** sal; **f.** hagan; **g.** quédate.

3. a. Recógela; **b.** Hazlas; **c.** Apriételos; **d.** Encontralo; **e.** Pidámoslo; **f.** Producidla; **g.** Constrúyanlo.

4. a. Sí, tráemelo; **b.** Sí, prepáranoslos; **c.** Sí, llévatela; **d.** Sí, mándamelas; **e.** Sí, pónmela; **f.** Sí, pídeselo.

5. a. Vierta yerba dentro del mate. Agregue una o dos cucharaditas de azúcar, si lo desea; **b.** Tape con una mano la boca del mate, inviértelo y sacúdalo unos instantes. Vuelva el objeto a su posición normal; **c.** Ponga el agua a calentar. Viértala suavemente sobre la yerba. Deje reposar unos instantes; **d.** Mantenga el agua a temperatura constante. Procure no mover la bombilla, pero en caso necesario hágalo con el mate sin agua.

6. a. Miguel, por favor, ordena tu cuarto; **b.** Por favor, tráigame las fotocopias; **c.** Por favor, ponle más sal a la comida; **d.** Cierra la ventana, por favor; **e.** Por favor, vengan a cenar a casa esta noche; **f.** Doctor, dígame qué es lo que tengo, por favor; **g.** Dieguito, por favor, sé más amable con las visitas; **h.** Niños, por favor, limpiad lo que habéis ensuciado; **i.** Señor, por favor, lea este informe y corríjalo después; **j.** Ana, por favor, baja el volumen de la música.

7.

Madre española a su hijo Joselito	Madre argentina a su hijo Nahuel
a. Ordena tu dormitorio antes de salir.	**a.** Ordená tu dormitorio antes de salir.
b. Apaga la luz si no la usas.	**b.** Apagá la luz si no la usás.
c. Haz todos los deberes antes de jugar.	**c.** Hacé todos los deberes antes de jugar.
d. A la pelota, juega en el jardín.	**d.** A la pelota, jugá en el jardín.
e. Lústrate bien los zapatos.	**e.** Lustrate bien los zapatos.
f. Guarda los juguetes en la caja.	**f.** Guardá los juguetes en la caja.
g. Ven ahora mismo a comer.	**g.** Vení ahora mismo a comer.
h. Despiértate que ya es hora de ir al colegio.	**h.** Despertate que ya es hora de ir al colegio.
i. Báñate rápido. No gastes mucha agua.	**i.** Bañate rápido. No gastés mucha agua.
j. Deja de ver la televisión y ve a estudiar.	**j.** Dejá de ver la televisión y andá a estudiar.

Capítulo 27. El imperativo negativo

4.1. Identifica

Verdaderas: El texto es una placa de prohibición y Los verbos de la placa están conjugados en *usted* (texto a), El texto expresa un pedido y El texto es contra fumar en el hogar (texto b), En el texto se pide que la adopción sea responsable y El texto hace la cuenta de que el animal es el que habla (texto c), En «No me abandonéis» el verbo expresa un ruego dirigido a la 2.ª persona del plural (*vosotros*) (texto c). **Falsas:** El texto alerta que hay un basurero (texto a), El verbo *fumar* está conjugado en *usted* (texto b).

b. ni; **c.** por favor.

4.2. Practica

1.

	Abandonar	Beber	Resistir
tú	no abandones	no bebas	no resistas
vos	no abandonés	no bebás	no resistás
usted	no abandone	no beba	no resista
nosotros, nosotras	no abandonemos	no bebamos	no resistamos
vosotros, vosotras	no abandonéis	no bebáis	no resistáis
ustedes	no abandonen	no beban	no resistan

2.

	tú	vos	usted	nosotros/as	vosotros/as	ustedes
Ir	no vayas	no vayás	no vaya	no vayamos	no vayáis	no vayan
Ser	no seas	no seás	no sea	no seamos	no seáis	no sean
Cerrar	no cierres	no cerrés	no cierre	no cerremos	no cerréis	no cierren
Mentir	no mientas	no mintás	no mienta	no mintamos	no mintáis	no mientan
Volver	no vuelvas	no volvás	no vuelva	no volvamos	no volváis	no vuelvan
Dormir	no duermas	no durmás	no duerma	no durmamos	no durmáis	no duerman
Jugar	no juegues	no jugués	no juegue	no juguemos	no juguéis	no jueguen
Corregir	no corrijas	no corrijás	no corrija	no corrijamos	no corrijáis	no corrijan
Adquirir	no adquieras	no adquirás	no adquiera	no adquiramos	no adquiráis	no adquiran
Poner	no pongas	no pongás	no ponga	no pongamos	no pongáis	no pongan
Hacer	no hagas	no hagás	no haga	no hagamos	no hagáis	no hagan
Traer	no traigas	no traigás	no traiga	no traigamos	no traigáis	no traigan
Agradecer	no agradezcas	no agradezcás	no agradezca	no agradezcamos	no agradezcáis	no agradezcan
Construir	no construyas	no construyás	no construya	no construyamos	no construyáis	no construyan
Oír	no oigas	no oigás	no oiga	no oigamos	no oigáis	no oigan
Decir	no digas	no digás	no diga	no digamos	no digáis	no digan
Exigir	no exijas	no exijás	no exija	no exijamos	no exijáis	no exijan
Seguir	no sigas	no sigás	no siga	no sigamos	no sigáis	no sigan
Avanzar	no avances	no avancés	no avance	no avancemos	no avancéis	no avancen

3. a. no traiga; **b.** no sigan; **c.** no corrijas; **d.** No seamos; **e.** no digáis, no mintáis; **f.** no abandonen; **g.** No volvás.

4. a. No la cierres; **b.** No la vean; **c.** No los muestre; **d.** Léela; **e.** Abridla; **f.** Escúchenlo; **g.** No lo escuches; **h.** No se lo prestes; **i.** No me lo compres; **j.** Envíenoslos; **k.** No los llames; **l.** Pídeselo.

5. Practicar el senderismo es la mejor manera de conocer el parque. Para vuestra seguridad, seguid los caminos señalizados e id bien equipados para la marcha previendo la posibilidad de que haga de mal tiempo; No tiréis los desperdicios. Llevadlos y depositadlos en contenedores adecuados. El reciclaje es una buena manera de colaborar en la mejora del medio ambiente; No contaminéis los ríos ni las fuentes echando productos como jabones o detergentes; Ayudad a la observación de la fauna, sin capturar ni molestar los animales, tanto salvajes como manadas domésticas; Algunas plantas y flores son venenosas o están protegidas debido a su rareza. Admiradlas sin arrancarlas y respetad la totalidad de la vegetación; No se permite circular con vehículos motorizados fuera de carreteras y pistas abiertas a la circulación. Respetad la señalización y aparcad en los sitios habilitados; Cerrad los cercos y vallas ya que mantienen el ganado en el lugar adecuado; Para cualquier duda o información complementaria dirigíos al centro del parque c/ la vinya, 1 08695 Bagà, tel. 93 824 41 51, pncadimoixero.dmah@gencat.cat.

Capítulo 28. El presente de subjuntivo

4.1. Identifica

a.

– expresar una probabilidad o una conjetura	– Tal vez en la distancia mi nombre pronuncies. – Quizás recuerdes lo bello que fue este amor.
– formular un deseo	– Ojalá que seas feliz.

– preguntar por una reacción emocional	– ¿No te molesta que los políticos no cumplan sus promesas?
– hacer un pedido	– Exigimos que los políticos cumplan con las promesas que hacen durante las campañas.
– describir acontecimientos futuros	– Cuando tú me quieras. – Cuando te vea sonreír. – Cuando me digas que sí.
– explicar una finalidad u objetivo	– Para que promocionen sus programas y habilidades en Internet, resuelvan sus dudas y contacten con otros programadores.
– dar una opinión en forma negativa	– Los jueces no consideran que esta falta constituya un motivo de despido.

b.

	Verbo en presente de subjuntivo	Infinitivo
Texto a	promocionen resuelvan contacten	promocionar resolver contactar
Texto b	pronuncies recuerdes seas	pronunciar recordar ser
Texto c	cumplan	cumplir
Texto d	quieras vea digas	querer ver decir
Texto e	constituya	constituir

4.2. Practica

1.

Verbo	Yo	Tú	Él-ella-usted	Nosotros (as)	Vosotros (as)	Ellos-ellas-ustedes
Recibir	reciba	recibas	reciba	recibamos	recibáis	reciban
Comprender	comprenda	comprendas	comprenda	comprendamos	comprendáis	comprendan
Estudiar	estudie	estudies	estudie	estudiemos	estudiéis	estudien
Pretender	pretenda	pretendas	pretenda	pretendamos	pretendáis	pretendan
Leer	lea	leas	lea	leamos	leáis	lean
Creer	crea	creas	crea	creamos	creáis	crean

2. a. No es bueno que veas tantas películas de terror; **b.** A Marisa le molesta que haya demasiada gente en la fiesta; **c.** No me gusta que sean arrogantes; **d.** Es extraño que Julia no sepa la dirección de Rodolfo; **e.** Es una pena que el sofá no quepa en la sala; **f.** Es mejor que no vayáis a trabajar si tenéis gripe; **g.** Es malo que los chicos estén muchas horas frente al televisor; **h.** A tu esposa le molesta que le des flores a tu secretaria.

3.

Verbo	Presente de indicativo	Presente de subjuntivo
Comenzar	(yo) comienzo	(yo) comience
Recomendar	(tú) recomiendas	(tú) recomiendes
Perder	(ellos) pierden	(ellos) pierdan

Verbo	Presente de indicativo	Presente de subjuntivo
Defender	(usted) defiende	(usted) defienda
Preferir	(ella) prefiere	(ella) prefiera
Sugerir	(yo) sugiero	(yo) sugiera
Encontrar	(tú) encuentras	(tú) encuentres
Mostrar	(él) muestra	(él) muestre
Poder	(yo) puedo	(yo) pueda
Resolver	(ustedes) resuelven	(ustedes) resuelvan
Dormir	(nosotros) dormimos	(nosotros) durmamos
Repetir	(yo) repito	(yo) repita
Seguir	(ella) sigue	(ella) siga

4. **a.** nazca; **b.** reconozcas; **c.** agradezcan; **d.** diga; **e.** incluyáis; **f.** organicemos, comiencen; **g.** disminuyan; **h.** estemos, vayamos; **i.** valga, sea.

5. **a.** Lamento que no puedas venir a mi cumpleaños; **b.** A Patricia le encanta que sus amigos vayan a su casa; **c.** A María le preocupa que su hijo no quiera trabajar; **d.** A mi madre no le gusta que volvamos tarde de bailar; **e.** ¿Te molesta que durmamos en la sala?; **f.** Es importante que hagáis bien el trabajo.

6. **a.** No creo que Alicia esté más delgada; **b.** No me parece que este tema carezca de importancia; **c.** No creo que sepas de lo que estamos hablando; **d.** No pienso que sea el mejor tenor de la actualidad; **e.** No me parece que Diana haga dieta; **f.** No pienso que vayas a quedarte solo toda tu vida.

7. **a.** Mi marido prefiere que la casa <u>tenga</u> jardín; **b.** Cuando Alfredo <u>venga</u> a visitarnos, lo llevaremos a conocer Salamanca; **c.** Chicos, si vais a ir al cine, es mejor que <u>salgáis</u> ya mismo, antes de que <u>empiece</u> a llover. Os aconsejo que <u>llevéis</u> paraguas; **d.** Soy vegetariano, y aunque me <u>muera</u> de hambre y aunque los médicos me <u>digan</u> que no es bueno para la salud, jamás comeré carne roja; **e.** Seguramente el teclado dejará de existir cuando las computadoras <u>reconozcan</u> la voz del usuario; **f.** Me fastidia que Felipe me <u>llame</u> por teléfono a esta hora de la noche para que le <u>cuente</u> lo que hicimos en la clase; **g.** Caperucita, no tengas miedo y acércate más para que <u>pueda</u> verte mejor; **h.** Aunque Sofía nos <u>pida</u> mil veces perdón, nunca le perdonaremos lo que nos hizo; **i.** La clase va a comenzar después de que <u>estén</u> todos los alumnos en el aula.

Capítulo 29. Usos del subjuntivo, el indicativo y el infinitivo en expresiones de sentimiento, deseo, creencia o conocimiento

4.1. Identifica

2. **Texto 1: a)** no piensa que, ha visto que, poder dar la entrada para un inmueble; **b)** cree que, le parece. **Texto 2:** no es verdad que, es falso que, es verdadero que, lo mejor. **Texto 3:** le gustaría, le encanta, ruega que, espera que. **Texto 4:** no cree que, le extraña que.

3. 1-c; 2-m; 3-d y j; 4-k y l; 5-g; 6-e; 7-a; 8-h; 9-f; 10-i y b.

4.2. Practica

1. **a.** tiene; **b.** viene; **c.** uses; **d.** escuche; **e.** vienen; **f.** esté; **g.** es; **h.** estén; **i.** den; **j.** vaya.

2. a. No creo que Pedro tenga problemas; **b.** No me parece que venga mucha gente a la reunión; **c.** Jorge no piensa que haya demasiados gastos en la empresa; **d.** No creo que esa casa cueste mucho dinero; **e.** No me parece que Juan conozca bien Madrid; **f.** La policía no cree que los ladrones estén en el país.

3. a. A Luis le molesta muchísimo <u>escuchar</u> ruidos molestos mientras está trabajando; **b.** Me preocupa bastante <u>que llegues</u> tarde por la noche. No me gusta <u>que estés</u> hasta tan tarde en la calle; **c.** ¿Por qué no quieres <u>que salgamos</u> el sábado? ¿Tienes algún otro compromiso?; **d.** Los chicos no tienen ganas de salir con esta lluvia. Prefieren <u>quedarse</u> en casa viendo una película; **e.** José, necesito <u>que vayas</u> a la farmacia y <u>que compres</u> estos medicamentos para el abuelo. ¿Puedes ir ahora mismo?; **f.** Isabel lamenta mucho no <u>estar</u> en la reunión de mañana, pero tiene un compromiso impostergable; **g.** ¿Por qué te molesta tanto que <u>use</u> las faldas tan cortas?; **h.** A Claudia le molesta <u>que faltemos</u> a su fiesta. Parece que no va a ir mucha gente; **i.** ¿Os gusta <u>vivir</u> en este pueblo? ¿No os parece muy aburrido?; **j.** Felipe, espero <u>que consigas</u> ese trabajo.

4. Es necesario que los políticos acaben con la corrupción y mejoren la situación de los más necesitados; Antes de enchufar el secador de pelo, es importante/es fundamental verificar el voltaje de la corriente; Es fundamental/Es importante que mantengas siempre limpia la computadora y que hagas copias de seguridad regularmente; Lo ideal es que/Lo mejor es que hagas largas caminatas, descanses y no pienses en el trabajo; Lo más importante/Es fundamental/Es importante/Lo ideal es dejar reposar la masa durante una hora en un paño húmedo.

Capítulo 30. Los pronombres, los adverbios y las oraciones de relativo

4.1. Identifica

1. 1. No, solo los que son equivalentes al GPS; **2.** Los que avisan cuando se produce una fuga; **3.** Solo a los que pagan a tiempo; **4.** No, respondió a todas las preguntas que le hicieron; **5.** Lo que más le impresionó fue el modo como estaba pintado; **6.** En las carpetas donde se guardan; **7.** No, solo uno nuevo que lanza la empresa.

2.

Texto a – que	información sobre una cosa
Texto b – que	información sobre una cosa
Texto c – quienes	información sobre personas
Texto d – cuanto	una cantidad indeterminada
Texto e – como	el modo de hacer algo
Texto f – donde	información sobre un lugar
Texto g – cuya	propiedad

4.2. Practica

1. El golf es un deporte <u>que</u> últimamente presenta en nuestro país un crecimiento sostenido. Las buenas actuaciones de golfistas argentinos en torneos internacionales de renombre y la aparición de nuevos «campos» <u>donde</u> poder jugar son algunas de las razones por <u>las que</u> hoy en día son muchos (hombres y mujeres) <u>quienes</u> practican este deporte que, según los entendidos, es «adictivo».

Para <u>quienes</u> disfrutan del golf, crece en la ciudad una nueva tendencia: la del golf *indoor* (bajo techo): dejar de lado el saco y la corbata unos minutos para jugar un par de hoyos en la propia oficina. Esta modalidad se apoya en herramientas tecnológicas: simuladores del campo de juego y sensores de movimiento <u>que</u> permiten analizar los golpes. El simulador utiliza tres cámaras <u>que</u> generan un cubo virtual <u>donde</u> se recrean los diferentes movimientos de la pelotita para mostrar el resultado en las pantallas.

2. a. Visite un museo donde hay una famosa obra; **b.** Te voy a presentar a un amigo que trabaja conmigo; **c.** Allí están Ernesto y Luis, quienes/que abrieron un restaurante italiano; **d.** Doña Estela tiene un perro chihuahua cuyo ladrido es insoportable; **e.** Acabo de instalar un programa que sirve para traducir textos; **f.** Andrés y Victoria se conocieron en 1997, cuando los dos estaban de vacaciones en París; **g.** El sospechoso relató una versión, cuya veracidad era casi irrefutable.

3. Específico: b, e, f. **No específico:** a, c, d, g.

4. a. Nos reuniremos en el bar en el cual/donde hacen un café irlandés maravilloso; **b.** Ana y Silvia son las tías con las que/las cuales viajé a Egipto; **c.** Se rompió el auto con el cual teníamos que viajar a la costa; **d.** La casa en la que/donde vivió el famoso pintor se convirtió en un museo; **e.** La empresa contrató al que/a quien se considera el mejor en su área; **f.** París y Londres: las ciudades hacia las cuales/las que viajaron las delegaciones de tenis; **g.** En la reunión culparon a Suárez, el cual/el que explicó que era todo mentira.

5. a. en; **b.** a; **c.** hasta; **d.** sobre; **e.** a; **f.** sin.

6. a. los que/cuales; **b.** el que/cual; **c.** los que/cuales; **d.** lo que; **e.** la que/cual; **f.** el que/cual; **g.** las que/cuales; **h.** lo que.

7. Hace algunos años, el Gobierno del Distrito Federal tomó conciencia de la peligrosa situación de los ciclistas en la ciudad de México y comenzó la construcción de ciclopistas. Esta medida se ve con buenos ojos, porque… La bicicleta es un transporte que no produce contaminación. También, es un excelente medio para quienes/los que tienen que hacer ejercicio físico. Sin contar que se puede dejar en lugares donde los autos no pueden estacionar. Y algo muy importante: es muy bajo el costo con el cual/el que se mantiene en buen estado de uso. Como vemos, son varios los motivos que estimulan el uso de la bicicleta.

Capítulo 31. Las preposiciones

4.1. Identifica

1. Verdaderas: 1, 3 y 6; **Falsas:** 2, 4 y 5.

Preposición que…	
apunta la dirección de un movimiento o acción sin importar el destino final.	hacia
localiza en el espacio.	en
introduce al agente de la voz pasiva.	por
indica un punto de origen en el tiempo.	desde
introduce el precio de algo.	a
señala la ausencia de algo o alguien.	sin
introduce la materia de algo.	de
se refiere a un destino.	a
manifiesta una causa.	por
señala un elemento que se excluye.	excepto
indica resistencia u oposición.	contra

4.2. Practica

1. a. Según, sobre; **b.** hacia, por; **c.** de, sobre; **d.** por, a; **e.** por, incluso; **f.** durante, hasta.

2. a. de la, a la; **b.** del; **c.** a la; **d.** al; **e.** a las; **f.** a la, de los; **g.** de las; **h.** a los, del.

3. a. conmigo; **b.** sin nosotros; **c.** sin ti; **d.** consigo; **e.** con ellas; **f.** contigo; **g.** con él; **h.** sin mí.

4. a. asistir; **b.** acordarme; **c.** creer; **d.** constan; **e.** soñar; **f.** desconfiar; **g.** empezar.

5. a. Pasaje de bus costará 100 pesos más <u>desde</u> enero; **b.** Bono podría visitar Malawi <u>con</u> Madonna; **c.** ¿Cuántos libros leéis como media <u>durante</u> un año?; **d.** Huracán Earl <u>hacia</u> las Antillas Holandesas; **e.** WWF propone potenciar la rehabilitación de viviendas <u>para</u> ahorrar energía; **f.** Kings Of Leon suspenden un concierto <u>por</u> un ataque masivo de palomas.

4.3. Aplica

1. La visita la realizamos <u>a pie</u>. Salimos <u>de Plaza Catalunya</u> y caminamos <u>por las Ramblas</u>. Encontramos, <u>a la derecha</u>, el Palacio de la Virreina, el Mercado de San José y un poco más abajo el Gran Teatro del Liceo. Entre el Mercado y el Liceo, <u>a la izquierda</u>, por el carrer de la Boquería llegamos al Barrio Gótico y a la Plaza del Pi. Caminando <u>por el carrer de la Palla</u> llegamos <u>hasta la catedral de Barcelona</u>.

Capítulo 32. Las locuciones preposicionales

4.1. Identifica

1. a. Se comenta el lanzamiento del trabajo de un famoso músico (2); **b.** Se describen los restos hallados de un animal prehistórico (6); **c.** Se describen las buenas características de algunas frutas y verduras de este año (4); **d.** Se cuenta que se ha visto una supuesta nave desconocida (3); **e.** Se habla del país de destino de un futbolista (1); **f.** Se comenta el invento de un producto (5).

2.

Manifiesta idea de acción conjunta	En compañía de
Introduce la interpretación de algo	A juzgar por
Se refiere a un determinado tema	En cuanto a
Expresa idea de tiempo	A partir de
Indica procedencia	Por parte de
Indica idea de dirección a un lugar	Rumbo a

4.2. Practica

1. a. a, de; **b.** por, de; **c.** a la, de; **d.** a; **e.** con el, de; **f.** a lo, de; **g.** de, de; **h.** a, de.

2. a. Vieron al escritor <u>junto a</u> una conocida modelo; **b.** Los cóndores hacen sus nidos <u>en lo alto de</u> las montañas; **c.** El grupo de investigadores ganó el premio <u>como resultado de</u> su trabajo; **d.** Aumentan el precio de la gasolina <u>bajo pretexto de</u> escasez de combustible; **e.** El fuerte calor en verano está <u>relacionado con</u> el cambio climático; **f.** El número de vuelos aumentará <u>a partir de</u> agosto; **g.** Adelantan el horario <u>con el fin de</u> ahorrar energía; **h.** Elvira regresó porque no se acostumbró a vivir <u>fuera de</u> su ciudad.

3. a-4; b-6; c-3; d-5; e-8; f-7; g-1; h-2.

4. a. con el fin de; **b.** A pesar de; **c.** por encima de; **d.** Conforme a; **e.** como resultado de; **f.** a más de.

5. a. rumbo a; **b.** al cabo de; **c.** por culpa de; **d.** a espaldas de; **e.** con el propósito de.

4.3. Aplica

El ruido es considerado un serio problema de contaminación en las grandes ciudades.
Un estudio reciente reveló que <u>el mayor porcentaje de ruido es a causa de los motores de autos, camiones y motos.</u>

Para las personas este problema también es serio. El mismo estudio da cuenta de que <u>la gente tiene mucho estrés como consecuencia del contacto directo con altos niveles de decibeles.</u>

Sin embargo, una de las medidas que se puede tomar es bastante simple: <u>revisar los escapes de los vehículos con el fin de disminuir los niveles de contaminación sonora.</u>
La salud es una cuestión de todos.

Capítulo 33. Las formas neutras

4.1. Identifica

a) El título de la película expresa la tristeza de una mujer frente a su vida; **b)** La excesiva preocupación por la apariencia destruye relaciones; **c)** La posibilidad del plan es muy alta.

4.2. Practica

1. a. El, Lo; **b.** Este, Esto; **c.** Ese, eso; **d.** aquel, aquello; **e.** él, ello.

2. a. Lo infantil de Juana me irrita, La infantilidad de Juana me irrita; **b.** La frustración ha sido no haber podido estar presente, Lo frustrante ha sido no haber podido estar presente; **c.** Lo emocionante de un campeonato está en la rivalidad; La emoción de un campeonato está en la rivalidad; **d.** La dulzura de una persona me seduce; Lo dulce en una persona me seduce; **e.** Lo inteligente está de moda, La inteligencia está de moda; **f.** La suciedad de los muebles refleja el descuido de los moradores, Lo sucio en los muebles refleja el descuido de los moradores; **g.** Lo limpio en esta casa es mérito de Gretel, La limpieza en esta casa es mérito de Gretel; **h.** Lo sencillo resplandece en cualquier situación, La sencillez resplandece en cualquier situación; **i.** La honradez de Horacio se nota en sus actos, Lo honrado en Horacio se nota en sus actos.

3. a. lo, ello; **b.** Lo; **c.** Lo; **d.** ello; **e.** lo; **f.** lo, Ello; **g.** lo; **h.** Lo; **i.** lo.

4. a. lo de siempre; **b.** lo de menos; **c.** en esto; **d.** a eso de; **e.** a lo grande; **f.** da lo mismo; **g.** Y eso; **h.** Esto es.

Capítulo 34. El futuro simple

4.1. Identifica

2. 1. hablar sobre el pronóstico meteorológico: Habrá vientos de hasta 60 km/h, Un frente frío entrará hoy; **2. poner una objeción:** La ropa blanca será muy linda, pero es odiosa de lavar; **3. dar una orden:** pero tú no irás, porque estás enfermo; **4. expresar un acontecimiento futuro:** Al menos 400 parejas indígenas se casarán en Bolivia ante la deidad Pachamama; **5. expresar probabilidad o conjetura:** seremos unos 150.

4.2. Practica

1.

	Dar	Tender	Pedir
yo	daré	tenderé	pediré
tú, vos	darás	tenderás	pedirás
él, ella, usted	dará	tenderá	pedirá
nosotros, nosotras	daremos	tenderemos	pediremos
vosotros, vosotras	daréis	tenderéis	pediréis
ellos, ellas, ustedes	darán	tenderán	pedirán

2.

Verbo	Yo	Tú	Él, ella, usted	Nosotros/as	Vosotros/as	Ellos/as, ustedes
Haber	habré	habrás	habrá	habremos	habréis	habrán
Caber	cabré	cabrás	cabrá	cabremos	cabréis	cabrán
Tener	tendré	tendrás	tendrá	tendremos	tendréis	tendrán
Salir	saldré	saldrás	saldrá	saldremos	saldréis	saldrán
Poner	pondré	pondrás	pondrá	pondremos	pondréis	pondrán
Poder	podré	podrás	podrá	podremos	podréis	podrán

3. a. será; **b.** costarán; **c.** quedaréis; **d.** interpretará; **e.** nos casaremos; **f.** iré.

4. a. Cabremos; **b.** saldrá; **c.** tendré; **d.** obtendrán; **e.** compondréis; **f.** diré.

5. Ayer, la escudería Ferrari presentó el nuevo monoplaza que conducirán esta temporada Fernando Alonso y Felipe Massa en el Mundial de Fórmula 1. Hoy por la tarde, si las condiciones meteorológicas lo permiten, el monoplaza dará sus primeras vueltas en público en el circuito de Fiorano. Los primeros entrenamientos oficiales del coche tendrán lugar los días 1, 2 y 3 de febrero. Felipe Massa será el primero en realizar los ensayos y Alonso estrenará al volante del Ferrari el día 2.

4.3. Aplica

1. a. Será una especie de vagón-puente, una mezcla de autobús y tranvía elevado que dejará libres los carriles por donde circulan los coches. Será grande y veloz, y movido a electricidad; **b.** Dejará libres los carriles por donde circulan los coches, ampliará la capacidad de cada calle y avenida, aumentará la cantidad de usuarios del transporte público, disminuirá la contaminación del aire.

Capítulo 35. El condicional simple

4.1. Identifica

Verdaderas: El periódico afirma que en el 2011 el gobierno comenzará a construir la línea G del metro y Según el periódico, es probable que una empresa chica financie el nuevo metro (texto 1); Para llegar en tren a Zarautz hay que bajarse en San Pelayo y luego caminar hasta Asti (texto 2); Joseph Siewe fue el mejor entrenador camerunés (texto 3); Héctor no recuerda exactamente qué edad tenía cuando leyó *El hombre que calculaba* y A Héctor le encantó ese libro (texto 4); Las peluquerías pueden ayudar a mejorar los hábitos alimenticios de sus clientes, pero aún no lo hacen (texto 5). **Falsas:** Paco no sabe si es posible bajarse del tren en San Pelayo (texto 2); El jugador tuvo otros entrenadores mejores que Siewe (texto 3); Los peluqueros suelen dar consejos sobre buena alimentación mientras le cortan o le tiñen el pelo a sus clientes (texto 5).

4.2. Practica

1.

	yo	tú	él, ella, usted	nosotros/as	vosotros/as	ellos/as, ustedes
Caber (I1)	cabría	cabrías	cabría	cabríamos	cabríais	cabrían
Saber (I1)	sabría	sabrías	sabría	sabríamos	sabríais	sabrían
Tener (I2)	tendría	tendrías	tendría	tendríamos	tendríais	tendrían
Querer (I1)	querría	querrías	querría	querríamos	querríais	querrían
Poner (I2)	pondría	pondrías	pondría	pondríamos	pondríais	pondrían
Poder (I1)	podría	podrías	podría	podríamos	podríais	podrían
Contribuir (R)	contribuiría	contribuirías	contribuiría	contribuiríamos	contribuiríais	contribuirían

2. a. acompañarías; **b.** Podría; **c.** tomaría; **d.** sabríamos; **e.** impondría, elegiríamos; **f.** valdría; **g.** saldría; **h.** pondría; **i.** Serían; **j.** viajaría.

3. a. Habría doscientas personas; **b.** Serían las siete; **c.** Tendría diecinueve años; **d.** Mediría dos metros por uno y medio; **e.** Sería la novia; **f.** Cabrían diez personas.

4. 1-f; 2-c; 3-a; 4-e; 5-b; 6-g; 7-d.

Capítulo 36. El gerundio

4.1. Identifica

a. texto 1-b; texto 2-b; texto 3-a; texto 4-a; texto 5-a; texto 6-a; texto 7-a.

b.

Indica que una acción ocurre antes que otra.	Detenido por conducir habiendo perdido la totalidad de los puntos.
Introduce una condición.	Comprando dos o más productos de cualquier línea obtendrás 10% de descuento.
Explica cómo se realiza una acción.	En Japón algunos agricultores combinan sus labores agrícolas con actividades lúdicas creando así bellas imágenes en el seno de sus campos de arroz.
Introduce una causa.	Considerando que las Matemáticas son el temor de los alumnos, es importante que los profesores usen herramientas que las hagan más interesantes.
Indica que una acción ocurre al mismo tiempo que otra.	Cuevas y Coloma son amigas desde hace años, se conocieron trabajando en la misma empresa. Agricultura y Arte: crear turismo rural divirtiéndose.

Indica una acción que tiene duración en el tiempo.	64 años creyendo en el país y construyendo medios argentinos.
Explica el propósito de una acción.	Jorge Serrano, uno de nuestros lectores más activos, nos escribe contándonos las dificultades que tiene para conseguir los cupones mensuales de su abono transporte de familia numerosa.

4.2. Practica

1. a. Advirtiendo; **b.** viendo; **c.** leyendo; **d.** distribuyendo; **e.** yendo; **f.** friendo; **g.** Creyendo; **h.** transfiriendo.

2. Armándolo; habiéndolos leído; Comprándole; Abrigándonos; Creyéndola; retirándolos.

3. a. Habiendo crecido; **b.** llorando; **c.** leyendo; **d.** Habiendo tenido; **e.** habiendo hecho; **f.** diciendo.

4. a-2; b-1; c-1.

5. a. Yendo en tren a la ciudad, llegaréis más rápido que en coche; **b.** Las lavanderas cantaban lavando la ropa en el río; **c.** Mi jefe es insoportable, todo lo pide gritando; **d.** Roberto se presentó a la entrevista sabiendo que no iban a contratarlo; **e.** Ordenando su escritorio, Luis se dio cuenta de que le faltaba su mejor lapicera; **f.** Pagando en efectivo, le damos un descuento del 10%.

Capítulo 37. Las perífrasis de gerundio

4.1. Identifica

1. Texto 1: Las 18 escuelas están en fase de construcción, En este momento se invierten 27 millones de pesos; **Texto 2:** El virus informático continúa en Internet; **Texto 3:** Poco a poco fue conociendo la verdadera identidad de su amor, Paulatinamente descubrió que su amor le miente; **Texto 4:** Javi Martínez hace mucho que quiere jugar en la Selección; **Texto 5:** Hace tiempo que aparecen alacranes en su casa.

2.

Se expresa un acontecimiento que se desarrolla poco a poco, de manera progresiva.	Voy siguiendo. Voy conociendo. Fui descubriendo. Se va muriendo.
Se expresa un acontecimiento que empieza en el pasado y dura hasta el presente.	Vengo padeciendo.
Expresa la cantidad de tiempo que dura una actividad.	Lleva esperando.
Expresa una acción en desarrollo.	Se están construyendo. Se están invirtiendo. Se están levantando.
Expresa un acontecimiento persistente y reiterado. Tiene connotación negativa.	Anda recorriendo.

4.2. Practica

1. a. están viendo; **b.** estaba leyendo; **c.** estamos escribiendo; **d.** estás saliendo; **e.** estoy haciendo, estoy comiendo; **f.** está yendo; **g.** estaba sirviendo; **h.** está diciendo.

2. a. fueron subiendo; **b.** viene criticando; **c.** id presentando; **d.** fue abandonando; **e.** fui conociendo; **f.** venían discutiendo; **g.** voy aprendiendo.

3. a. Llevo tres años estudiando español; **b.** Últimamente, Andrea anda leyendo bastantes novelas de amor; **c.** Mi hermana y yo seguimos viviendo en la casa de mis padres; **d.** Poco a poco mi abuela fue comprando toda la colección de discos; **e.** La policía está llegando al lugar del asalto; **f.** El valor de los apartamentos viene subiendo; **g.** Ayer por la tarde estuve pensando en nuestra última conversación; **h.** Paulatinamente irás descubriendo lo que realmente te gusta hacer.

4. a. la ando buscando/ando buscándola; **b.** los estoy terminando/estoy terminándolos; **c.** te lo iré/voy a ir contando/iré/voy a ir contándotelo; **d.** te lo estoy llevando/estoy llevándotelo; **e.** se lo vengo/venía diciendo/vengo/venía diciéndoselo; **f.** te las sigo mostrando/sigo mostrándotelas.

5. a. Carlos lleva dos horas leyendo su libro, Carlos llevaba dos horas leyendo su libro; **b.** Tu hijo anda escuchando todas nuestras conversaciones, Tu hijo anduvo escuchando todas nuestras conversaciones; **c.** Un taxi estaba aguardando a los invitados en el aeropuerto, Un taxi está aguardando a los invitados en el aeropuerto, Un taxi estará aguardando a los invitados en el aeropuerto; **d.** El cielo fue poniéndose cada vez más nublado, El cielo va poniéndose cada vez más nublado, El cielo irá poniéndose cada vez más nublado; **e.** Nosotros hemos venido trabajando desde hace varios años en ese proyecto, Nosotros venimos trabajando en ese proyecto hace varios años.

Capítulo 38. El infinitivo

4.1. Identifica

Texto a: sería posible colocar el pronombre *se* después del infinitivo, el pronombre *lo* se refiere a aguacate; **Texto b:** sería posible cambiar de lugar el pronombre *se* solamente en «ha de confundirse»: *se ha de confundir*, el pronombre *la* se refiere a «la parte del cuerpo… envuelta casi siempre en cuero o gamuza», o sea, el pie; **Texto c:** el sujeto del *latir* es: «mi corazón».

4.2. Practica

1. a. haber sido; **b.** haber sabido; **c.** lavarse; **d.** haber pagado; **e.** trabajar; **f.** haber estudiado; **g.** salir; **h.** entrar.

2. a. Es impresionante la diligencia del nuevo pasante. ¡En un abrir y cerrar de ojos hace todo lo que le pedimos y correctamente!; **b.** *Amaru*, del escritor peruano Edgardo Rivera Martínez, es un texto que, a decir de Antonio Cornejo Polar, tiene mucho de poema, pero que también puede ser leído como cuento; **c.** ¿Sabes? La ciudad a veces me abruma, pero me fascina el ir y venir constante de su cotidiano; **d.** Bueno, según mi entender es es un sillón, porque tiene apoyo para los brazos; **e.** Pues sí. Pero déjame decirte que con el pasar de los años te has puesto más guapa; **f.** Me parece que le gustas a Juan tanto cuanto él te gusta a ti. Pero ojo que es solo un suponer, así que no te entusiasmes demasiado. Espera que él mismo te lo haga saber.

Capítulo 39. Las perífrasis de infinitivo

4.1. Identifica

1. Texto 1: a, c y d; **Texto 2:** a y b; **Texto 3:** a; **Texto 4:** a y b; **Texto 5:** b.

2.

Se expresa una obligación	Algunas cosas que no debes hacer en Internet.
Se pide permiso	¿puedo tutearte?
Se solicita un favor	¿Podrías informarme si existe alguna forma de cursar dichos estudios en la modalidad «a distancia»?
Se indica el comienzo de una acción	Sacerdote se echó a volar con globos…
Se indica el fin de una acción	Un equipo que juega bien, termina por ganar.
Se expresa una intención	… cuando estaban por salir de vacaciones… … quería sobrevolar el territorio brasileño…

4.2. Practica

1. a. Vivíamos en el piso 23 y <u>acabábamos de subir</u> por el ascensor cuando se cortó la luz; **b.** Roberto y Laura fueron novios y <u>llegaron a vivir</u> algunos meses juntos; **c.** Martín se divorció en el 2005 y se <u>volvió a casar</u> dos años después; **d.** ¿Te conté que <u>voy a comprar</u> un auto nuevo?; **e.** Ya son las seis y <u>estamos por cerrar</u>. ¿Por qué no vuelve mañana?; **f.** Fabio se puso tan pesado que yo <u>acabé por aceptar</u> el dinero que me ofrecía; **g.** No estoy seguro, pero la abuela <u>debe de tener</u> más de noventa años; **h.** <u>Hay que tener</u> cuidado cuando se contrata a un desconocido para trabajar en casa.

2. a. debe reducir, tiene que comenzar; **b.** pude terminar; **c.** echó a correr; **d.** pone a escribir; **e.** acabaremos por vender; **f.** estaba por llamar; **g.** solía poner.

3. a. Ricardo solía pedirme/me solía pedir que cantara en inglés; **b.** Marcia discute con Aldo, pero siempre termina por perdonarlo/lo termina por perdonar; **c.** Rómulo dejó de visitarnos/nos dejó de visitar después del divorcio; **d.** El texto es bueno, pero lo tienes que mejorar/tienes que mejorarlo; **e.** Tengo que arreglarme/Me tengo que arreglar para salir.

4. a. <u>Hay que</u> dejar este cuarto cerrado con llave; **b.** <u>Debes</u> prestar más atención a lo que te digo; **c.** En verano <u>solía ir</u> con mis primos a pescar; **d.** Mi padre <u>dejó de trabajar</u> en la compañía <u>en</u> 1990; **e.** Mabel es muy inestable emocionalmente y <u>se echa a llorar</u> por cualquier cosa; **f.** El director <u>acaba de entrar</u> a una reunión.

Capítulo 40. Las perífrasis de participio

4.1. Identifica

1. Verdaderas: El objetivo es medir la actividad física de 2500 chicos y Ya se les ha tomado el registro a 135 chicos (texto a); No se encuentra mucho el águila culebrera en España y Celebes 2 y Salvaguirado han comentado la mirada del búho (texto b); El presente pasa desapercibido porque se piensa solo en el futuro (texto c). **Falsas:** Todavía no se ha empezado el estudio (texto a); Salva va a sacarle una foto a un búho y Javi no ha leído los comentarios que han dejado Celebes 2 y Salvaguirado (texto b); No se piensa en el futuro y La preocupación recae apenas en el momento presente (texto c).

2.

Palabras con las que se relacionan los participios	Perífrasis de participio
1. unos 135 <u>chicos</u>	llevan estudiados
2. el <u>águila</u> culebrera	está distribuida

3. una <u>foto</u> de un búho	tengo preparada
4. los <u>mensajes</u>	habéis dejado escritos
5. los <u>ciudadanos</u>	andamos ocupados

4.2. Practica

1. a. quedaron contradichas; **b.** llevan leídas; **c.** sigue preocupada; **d.** estará terminado; **e.** quedó acorda-do; **f.** lleva impresos; **g.** Das por terminada; **h.** dio por resuelto; **i.** van conquistados; **j.** quedará acordado; **k.** lleva inscriptos/inscritos; **l.** llevan casados; **m.** dio por hecho; **n.** está elegido; **ñ.** lleva vividos; **o.** ten-drás estudiada; **p.** estuvo dividida; **q.** anduvieron atareados.

2. a. Los competidores <u>están preparados</u> para conseguir un lugar en el podio; **b.** Todas las grabaciones del programa <u>estarán terminadas</u> a fin de mes; **c.** Ana <u>anda preocupada</u> con su situación en el trabajo; **d.** <u>Van vendidas</u> más de 1500 entradas para el recital; **e.** La policía de mi ciudad <u>lleva resueltos</u> todos los robos de este año; **f.** Los médicos de familia <u>llevarán visitados</u> 40 hogares hasta fin de mes; **g.** El joven escritor <u>tiene publicado</u> un libro de su autoría; **h.** Los padres de Rodolfo se <u>quedaron satisfechos</u> cuando vieron las no-tas altas del boletín; **i.** Rafael, <u>déjale dicho</u> a Manuela que necesito hablar con ella; **j.** ¿El problema? ¡Dalo <u>por solucionado</u>!.

3.

Situación	Roberta dice...
Tenía que terminar un informe importante, pero se le ha vencido el plazo.	¡No tengo terminado el informe!
La impresora se ha estropeado y aún no la han reparado.	¡La impresora sigue/continúa estropeada!
Últimamente su jefe tiene cara de mucha preocupación.	¡Mi jefe anda (muy) preocupado!
Se han contratado nuevos empleados que, aparente-mente, no trabajan bien, pues les falta preparación.	¡Los nuevos empleados no están preparados para sus funciones!
El sector de ventas ha informado un número muy bajo para lo que va del corriente mes: 200 productos.	¡Solo llevamos vendidos 200 productos!
El mayor cliente ha cancelado el contrato de exclusivi-dad con la empresa.	¡El mayor cliente ha dado por cancelado el contrato de exclusividad con la empresa!
Se despierta y se da cuenta de que todavía ni siquiera ha ido a trabajar…	¡Me he quedado dormida!

Capítulo 41. El pretérito pluscuamperfecto de indicativo

4.1. Identifica

a.

yo	
tú, vos	habías visto (2)
él, ella, usted	había encontrado, se había focalizado

nosotros, nosotras	habíamos pensado
vosotros, vosotras	habíais deducido, habéis enviado
ellos, ellas, ustedes	habían escapado

b. – expresar acontecimientos pasados anteriores a otra información pasada: Como muchos de vosotros ya habíais deducido en las respuestas que nos habéis enviado para el concurso (Texto 2), Aparecieron los adolescentes que se habían escapado (Texto 4); **– presentar un acontecimiento pasado anterior a una información anterior implícita:** El sol como nunca antes lo habías visto (Texto 1); **– indicar una idea o un pensamiento pasado interrumpido:** Habíamos pensado hacer una zona de terraza, pero dicen que no es conveniente (Texto 3); **– narrar lo que se dijo sobre el pasado en el estilo indirecto:** La madre confirmó que la policía había encontrado a los adolescentes (Texto 4).

4.2. Practica

1. a. Cuando llegamos (1) al aeropuerto, el avión había despegado (2); **b.** Tu prima me contó (1) que la habían despedido (2) por llegar tarde; **c.** Como había aprendido (2) español en México, pude (1) traducir el texto rápidamente; **d.** Juan se había puesto (2) su mejor traje aquella mañana porque iba (1) a una entrevista importante; **e.** Habíais quedado (2) en ayudarme y al final tuve (1) que hacerlo todo sola.

2. a. había empezado; **b.** habíamos decidido; **c.** habías nacido; **d.** había escrito; **e.** habíais visto.

3. a. había aprendido, hablaba; **b.** habías tenido, conociste; **c.** habían sido, dejaron; **d.** nació, habíais terminado; **e.** fue, se había despertado.

4. El descubrimiento de Juan Rulfo -como el de Franz Kafka- será sin duda un capítulo esencial de mis memorias. Yo había llegado a México el 2 de julio de 1961, y no solo no había leído los libros de Juan Rulfo, sino que ni siquiera había oído hablar de él. Vivía con mi mujer en un apartamento sin ascensor de la calle Renán, en la colonia Anzures. Teníamos/Tenía un colchón doble en el suelo del dormitorio grande, una cuna en el otro cuarto y una mesa de comer y escribir en el salón, con dos sillas únicas que servían para todo.

Yo tenía 32 años, había hecho en Colombia una carrera periodística efímera; acababa de pasar tres años muy útiles y duros en París y ocho meses en Nueva York, y quería hacer guiones de cine en México. El mundo de los escritores mexicanos de aquella época era similar al de Colombia y me encontraba muy bien entre ellos. Seis años antes había publicado mi primera novela, *La hojarasca*, y tenía tres libros inéditos: *El coronel no tiene quien le escriba*, *La mala hora* y la colección de cuentos de *Los funerales de la mamá grande*. De modo que era yo un escritor con cinco libros clandestinos, pero mi problema no era ese, pues ni entonces ni nunca había escrito para ser famoso, sino para que mis amigos me quisieran más y eso creía haberlo conseguido.

Capítulo 42. El futuro compuesto

4.1. Identifica

a. Texto 1: es casi impensable que hayan tenido dudas después de tanto tiempo de vida juntos; **Texto 2:** se espanta por el hecho de que un animal haya estado preso; **Texto 3:** imagina que sus lectores ya saben qué tiempo hace cuando lean su *post*; **Texto 4:** cuando termine la semana corriente; **Texto 5:** en verano, Nico no estará en Buenos Aires; **Texto 6:** es probable a largo plazo.

b. **1.** Al final de esta semana se habrán construido las primeras 660 viviendas, Supongo que entonces te habrás ido a casa, ¿no? y En 20 o 30 años habremos conseguido erradicar el cáncer de mama como causa de muerte; **2.** No se habrán precipitado un poco y Como seguro habréis oído, tenemos el peor invierno de los últimos 10 años; **3.** ¿Un burro a la cárcel? ¡Habrase visto!

4.2. Practica

1. a. habré tenido; **b.** habrán construido; **c.** habréis oído; **d.** habrás vuelto; **e.** habremos conseguido; **f.** habrá visto.

2.

	Futuro compuesto
yo	habré tenido
tú, vos	habrás vuelto
él, ella, usted	habrá visto
nosotros, nosotras	habremos conseguido
vosotros, vosotras	habréis oído
ellos, ellas, ustedes	habrán construido

3. a. habré ido; **b.** habrá terminado; **c.** habrán encontrado; **d.** habrás completado; **e.** habrá cortado; **f.** habremos visto; **g.** habrás vuelto; **h.** habré dicho; **i.** habrá gustado; **j.** os habréis levantado; **k.** habrá habido.

4. a. Ayer habrá hecho frío; **b.** Mi prima estaba con náuseas y con diarrea, ¿habrá tenido una indigestión estomacal?; **c.** El hijo mayor de mi tío habrá tenido (en aquel momento) unos 50 años; **d.** Para llegar al destino habrás tenido que hacer unos 150 km por esta carretera; **e.** La semana pasada la temperatura no habrá bajado de los 30 ºC; **f.** ¿Habrá comprado Juan el auto que tanto deseaba?

Capítulo 43. Los conectores de la coordinación

4.1. Identifica

Texto a: No; **Texto b:** no solo mejora el funcionamiento del cerebro, sino también nuestra capacidad para resolver problemas; **Texto c:** los gestos pueden ser complementares o causales; **Texto d:** Para innovar hay que tener una idea brillante y creer firmemente en ella.

4.2. Practica

1.

Adición afirmativa	Adición negativa
a. A María le gustan las rosas y los claveles.	**a.** A María no le gustan las rosas ni los claveles.
b. Trabaja mucho y también estudia mucho.	**b.** No trabaja mucho, tampoco estudia mucho.
c. Tanto Pablo como Fermín son abogados.	**c.** Ni Pablo ni Fermín son abogados.
d. Los niños cantan y bailan bien.	**d.** Los niños no cantan ni bailan bien.
e. Graciela vino a comer y, además, llamó.	**e.** Graciela no solo no vino a comer, sino que tampoco llamó.
f. Tanto practicar deportes como beber mucha agua son fundamentales para la salud.	**f.** Ni practicar deportes ni beber mucha agua son fundamentales para la salud.

2. a. El cambio climático no solo produce sequías, sino derretimiento de glaciares, El cambio climático no ayuda al planeta, sino que produce desastres climáticos; **b.** La autoestima es el resultado de experiencias no solo de la niñez, sino también de la adolescencia, La autoestima no es indestructible, sino que es posible dañarla fácilmente; **c.** Mi perro no solo ladra, sino que también muerde, Mi perro no muerde, sino ladra; **d.** El tabaco no solo es adictivo, sino que puede causar cáncer, El tabaco no es saludable, sino perjudicial para la salud.

3. a. En los deportes con riesgos de caídas, como el ciclismo o el motociclismo, se les exige el uso de cascos; **b.** Usted puede participar en el congreso a través de una presentación en panel u oral; **c.** La pesca comercial y la destrucción de los hábitats está terminando con especies marítimas; **d.** El dragón no es un ser mitológico, sino de la realidad del Cretasio, dicen los científicos; **e.** Los reportajes destacaron las anécdotas e insólitas marcas de las últimas Olimpíadas; **f.** En un futuro no muy distante, los aviones de pasajeros serán más grandes, pero menos ruidosos y contaminantes.

4. a. Mire, o bien me entrega el producto hasta mañana o bien tendré que dirigirme al departamento de atención al consumidor; **b.** Yo no tuve ningún problema: tanto me enviaron el producto como me llamaron para confirmar la entrega; **c.** El producto no me llegó en buen estado, sino estropeado; **d.** ¿El producto en venta es de primera mano o es usado?; **e.** Quise hacer el pago con tarjeta, pero hubo problemas en la transacción.

Capítulo 44. El pretérito imperfecto de subjuntivo

4.1. Identifica

a. Verdaderas: a. lo alegraban las visitas de Bada (texto 1); b. le gustaría mudarse a un lugar donde hiciera sol (texto 2); b. empezaron a hacer música para divertirse (texto 3). **Falsas:** b. lo entristecía no ser mundialmente conocido y c. No le gustaba la poesía de Miguel Hernández (texto 1); a. vive en un lugar con poco sol y temperaturas no agradables (texto 2); a. Siempre pensaron que se dedicarían a la música (texto 3); a. Antes, si los niños nadaban, se podían enfermar y b. Los niños tenían miedo de nadar (texto 4).

b. Introducir una causa: por miedo de que contrajeran (T4); **Hacer un pedido:** me pedía que le recitase (T1); **Expresar un sentimiento:** le encantaba que yo llegara/recitase poemas (T1), me volvía loco de contento que me explicara (T1), me encabronaba que usted no fuese mundialmente conocido (T1); **Hablar de hechos que se consideran improbables en el futuro:** ¿Si pudierais elegir, dónde viviríais?/Si pudiera elegir, viviría… (T2); **Se rechaza una idea pasada:** no creíamos que fuéramos a dedicarnos a la música (T3).

4.2. Practica

1. a. Mis padres querían que vendiéramos/vendiésemos el piso y que nos mudáramos/mudásemos a una casa cerca de la de ellos; **b.** Carlos nunca pensó que su socio pudiera/pudiese engañarlo; **c.** Tu marido va a cumplir 40 años y se comporta como si fuera/fuese un adolescente; **d.** Ojalá construyeran/construyesen una entrada del metro cerca de mi casa; **e.** Para Julio era muy importante que sus hijos siguieran/siguiesen una carrera universitaria; **f.** Mi madre quería que yo la acompañara/acompañase a todos lados; **g.** ¿Eva os pidió que pasarais/pasaseis a buscarla?; **h.** Por más esfuerzo que hiciera/hiciese no conseguía que su jefe lo promoviera/promoviese a encargado; **i.** Si reformaras/reformases tu piso antes de venderlo, sacarías mejor precio; **j.** Buscábamos un arquitecto que tuviera/tuviese experiencia en la construcción de casas inteligentes; **k.** Los chicos se apresuraron a ordenar la sala antes de que llegaran/llegasen sus padres y vieran/viesen el lío que habían hecho.

2. 1-c, La mujer caminaba como si estuviera borracha; 2-d, El profesor de Física habla como si tuviera una papa en la boca; 3-a, Te comportas como si fueras una niña; 4-b, Ese hombre te mira como si quisiera hablarte; 5-g, Los niños corrieron como si les persiguiera el demonio; 6-e, Mi exnovio pasó de largo como si no me conociera; 7-f, María come como si temiera pasar hambre.

3. **a**. La abuela me pidió que le hiciera la compra; **b.** Juana quería un vestido de fiesta que fuera de seda; **c.** Nosotros no creíamos que ustedes fueran a conseguir el préstamo; **d.** El profesor lamentó que no hubiera más tiempo para profundizar en el tema; **e.** El arqueólogo buscaba un guía que supiera el dialecto local.

4. La Bestia se sentía feliz de que la Bella no le temiera. Quería hacerle un regalo por haberle devuelto la felicidad. Un día le pidió que se tapara los ojos y la llevó a su enorme biblioteca. La joven no podía creerlo cuando sus ojos vieron tantos libros.

– Son tuyos -le dijo la Bestia, porque sabía cuánto amaba la Bella los libros.

– ¡Muchísimas gracias! -dijo la joven sonriendo.

Bella empezó a leer libros a la Bestia y su amistad se hizo cada vez más profunda. Por fin decidieron organizar una noche especial. La Bestia estaba preocupado. Quería que todo fuera perfecto, pero pensaba que nunca conseguiría estar presentable. Din don y Lumiere lo ayudaron a vestirse para asegurarse de que pareciera elegante y apuesto.

Capítulo 45. Las expresiones y las oraciones de causa

4.1. Identifica

a. **CAUSA REAL Y EFECTIVA:** ya que, debido a que, puesto que; **CAUSA FAVORABLE:** gracias a; **CAUSA NEGADA:** no porque; **CAUSA POR INSISTENCIA:** a fuerza de.

b. **Verdaderas:** lo que provoca el desfasaje en el aprendizaje son las largas vacaciones y el tipo de estimulación recibida durante las vacaciones es de suma importancia (texto b); los educadores tienen fuerza de voluntad (texto c); la sociedad debe replantearse la educación a partir de la nueva situación (texto d). **Falsas:** todo se reduce a circular sobre las nuevas tecnologías y las nuevas tecnologías no son poderosas (texto a); la red más antigua de la Unesco es autosuficiente (texto c); ni la información ni las nuevas tecnologías determinan la sociedad actual (texto d).

4.2. Practica

1. **1.** Por falta de público; **2.** Porque sale retrasado; **3.** Como nos habíamos olvidado la copia de la llave; **4.** Dado que no me llegó la mercadería que compré; **5.** Por miedo a recibir un no; **6.** Con motivo de las bodas de oro de nuestros padres.

2. **a.** Nadie quiere trabajar contigo por culpa de tu autoritarismo; **b.** Pedrito, el jefe le llamó la atención a papá por culpa de que tú lo llamaste 5 veces el otro día a la oficina; **c.** Nadie te cree. Por mentirosa; **d.** El dueño de la empresa está muy preocupado en vista de los números del último balance; **e.** Me internaron enseguida con lo mal que me sentía; **f.** Silvia ha cambiado su número de teléfono por miedo de que la quieras llamar de nuevo.

3. **a.** está; **b.** quiera, anda; **c.** hace, llueve; **d.** hemos visto; **e.** hayamos visto, ha dicho.

4. a. Por qué; **b.** por qué; **c.** porqué; **d.** porque; **e.** porque.

5. a. No recibiendo su invitación, no iré a la fiesta; **b.** No volvió tarde, queriendo agradar a sus padres; **c.** Siendo franco, Teresa lo perdonó; **d.** Se quedó en la puerta esperando a una amiga; **e.** No habiendo compartido con sus amigos el pastel, se sintió mal.

Capítulo 46. Las expresiones y las oraciones de finalidad

4.1. Identifica

Verdaderas: b. dio dinero a un programa para jóvenes (texto 1); b. durante el Año Nuevo se hacen pedidos de prosperidad, amor y salud (texto 2); es una bebida saludable; y c. es buena tomarla los días de mucho calor (texto 3); el objetivo de la reunión es proteger especies en extinción (texto 4); b. un camino que en el futuro se transformará en autopista (texto 5). **Falsas:** a. retiró su apoyo a la Asociación Latinoamérica (texto 1); a. algunos pueblos conmemoran el Año Nuevo (texto 2); b. da trabajo de preparar (texto 3) a. una autopista (texto 5).

4.2. Practica

1. a-5; b-3; c-1; d-2; e-6; f-4.

2. a. para que; **b.** con la idea de que; **c.** con el objeto de; **d.** con el fin de; **e.** con vistas a.

3. a. Llamar: Yo/Perdonar: Tú; **b.** Redactar: Él/Fumar: La gente; **c.** Necesitar: Nosotros/Tomar: Nosotros; **d.** Contratar: Ella/Vigilar: Él; **e.** Tener: Vosotros/Presentar: Yo; **f.** Venir: Ellos/Comentar: Usted.

4. a. para; **b.** para que; **c.** para que; **d.** para que; **e.** para.

5. a. enseñe; **b.** comprar; **c.** traer; **d.** corten; **e.** disfruten; **f.** estén.

6. a, c y f.

7. a. Voy a viajar a Madrid para visitar a mi familia; **b.** Tenemos que ser cautelosos para que Juan no descubra el secreto; **c.** Preciso el informe hoy mismo para que el director lo firme; **d.** Debes contarle la verdad a José para que él pueda tomar una decisión; **e.** Roberto quiere hablar con su jefe para pedirle un aumento; **f.** Iré esta tarde al banco para que el gerente me explique qué ocurrió con el cheque; **g.** El Gobierno ha transferido el feriado para el próximo lunes para que la gente tenga un día más de descanso; **h.** Los compañeros de Esteban y Ana van a armar una fiesta para que los dos se conozcan; **i.** Estamos organizando una fiesta para celebrar los 15 años de nuestra hija mayor.

Capítulo 47. Las expresiones y las oraciones concesivas

4.1. Identifica

a. Verdaderas: textos 2, 3, 4 y 6; **falsas:** textos 1 y 5.

b.

	hecho verificado	hecho no verificado	hecho irrelevante
1. Aunque el número de mujeres que trabajan actualmente es mucho más grande que el de hace treinta años, el número de hombres que participan en las tareas del hogar no ha cambiado mucho.	x		
2. Por más que tu hijo llore y te implore con énfasis que desea ir a comer unas hamburguesas o unas *pizzas*, no cedas.		x	
3. Aunque sean mis padres, no tienen derecho a oponerse a que siga la carrera que a mí me gusta.			x
4. La arena, de origen coralino, es muy blanca y tiene la particularidad de no calentarse, por muy inmenso que esté el sol.		x	
5. Aun cuando no puedas apagar todas las luces de tu oficina, busca los aparatos que se pueden desconectar, apagar, o usar en forma ahorrativa.		x	
6. Aunque no hiciera ninguna venta durante el mes y aunque me fuera mal, mi sueldo de base lo iba tener igual.		x	

4.2. Practica

1. a. Aunque Alejandra carecía de antecedentes, le dieron el cargo de directora de la escuela; **b.** No logro adelgazar por más que hace dos meses que estoy haciendo dieta; **c.** A pesar de que no estábamos vestidos adecuadamente, nos dejaron entrar en la fiesta; **d.** Fueron a la playa aunque está lloviendo a cántaros; **e.** Mi equipo jugó mucho mejor, a pesar de que perdió el partido tres a cero; **f.** Andrea se casó con Damián a pesar de que sus padres se oponían; **g.** Por más que le ofrecieron excelentes condiciones laborales, Ricardo no aceptó el trabajo; **h.** Aunque me caí de una pared muy alta, no me lastimé nada; **i.** A pesar de que contamos con el dinero necesario, no vamos a viajar a Asia; **j.** Por más que le avisaron varias veces que sería despedido, faltó toda la semana al trabajo.

2. a. Por muy importante que sea la amabilidad, es importante saber que solamente con ella no se puede reemplazar o corregir una actitud grosera y maleducada; **b.** Si dos hámsters en la misma jaula se pelean, se les debe separar, pues la agresividad irá en aumento y no mejorará por mucho tiempo que estén juntos; **c.** Por más que los médicos me decían que me tenía que operar, yo nunca les hice caso y no me operé, y fíjense lo bien que estoy; **d.** ¡Qué alegría me dio mi equipo el día de mi cumpleaños! ¡Ganaron! Y eso que jugaron con un jugador menos porque a Pérez lo expulsaron al comienzo del primer tiempo; **e.** Antes, por mucho dinero que tuviera, jamás me alcanzaba para nada. Ahora, con la nueva política económica, todo es diferente; **f.** A pesar de entender perfectamente el español, el arquitecto prefirió responder las preguntas en italiano, pues se sentía más cómodo; **g.** Si vas a invitar a una chica a comer a un restaurante, haz las reservas, aun cuando creas que no vas a necesitar hacerlo; **h.** El principal candidato de la oposición reveló ayer a los medios que volvería a presentarse a las elecciones, aun sabiendo que perdería otra vez; **i.** Matías hacía todos los trabajos que le asignaban, por muy difíciles que fueran.

3. **a.** perdiera; **b.** paso; **c.** digan; **d.** viviendo; **e.** estar, ganó; **f.** comiera/comía; **g.** dispongan/disponen; **h.** dieran, regalaran; **i.** tenga; **j.** salí, vine; **k.** quieras, vayas; **l.** sintiéndose.

4. **a.** Por muchos libros que Nora lea sobre el éxito profesional, nunca lo conseguirá; **b.** Por muy educada que sea Julia, a veces responde de forma grosera; **c.** Por muchas dietas que hagan, no consiguen bajar de peso; **d.** Por mucho que yo discuta con mi jefe, él siempre llevará la razón; **e.** Por muchos deportes que se practiquen profesionalmente, el fútbol es el que más apasiona; **f.** Por mucha suerte que tengamos el domingo, será difícil ganarle al equipo contrario; **g.** Por mucho calor que haga, siempre uso una chaqueta en la moto; **h.** Por muy hábil que fuera Bernardo, jamás podría realizar solo ese trabajo.

5. **a.** Aunque tengo mucho dinero, no me compraré ese apartamento; **b.** Por más que gane una fortuna en la lotería, no me compraré este apartamento de lujo; **c.** Aunque me esfuerzo y cuido las plantas, no consigo que mi jardín esté bonito; **d.** Por más que haga todo lo posible, nunca tendré mis plantas bonitas; **e.** Por mucho que trabajo, no puedo ahorrar lo suficiente para casarme; **f.** Por mucho que me esfuerce y trabaje, no podré casarme a fin de año; **g.** A pesar de que estudio durante muchas horas al día, no consigo realizar los problemas de Matemáticas; **h.** Aunque estudie durante muchas horas al día, no conseguiré realizar los problemas de Matemáticas.

Capítulo 48. Las expresiones y las oraciones de consecuencia

4.1. Identifica

1. **Texto a:** el fuerte dolor de cabeza es consecuencia del enojo y se quiere evitar, en primer lugar, el enojo; **Texto b:** la venta es una consecuencia de saber cómo vender y el estudio de las técnicas de venta permiten el éxito como vendedor; **Texto c:** destaca el esfuerzo y el desempeño de su equipo y su equipo se esforzó tanto que hubiera merecido ganar el partido; **Texto d:** Rozitchner tenía como mayor defecto su soberbia, la causa de su poco trato con él; **Texto e:** lo importante es cómo vivimos la vida y la muerte no es el fin de la vida.

2. **Efecto de algo que se acaba de mencionar:** por consiguiente, luego; **Énfasis en el modo de realización del evento que configura la causa:** de una... que, de tal suerte que; **Relación y comparación entre la causa y la consecuencia:** lo suficiente como para.

4.2. Practica

1. 1-e; 2-a; 3-f; 4-b; 5-d; 6-c.

2. **a.** unas; **b.** cada; **c.** de una; **d.** una de; **e.** Cuánto; **f.** Qué; **g.** Dónde.

3. **a.** Carmen es <u>tan</u> seductora <u>que</u> ningún hombre se le resiste; **b.** Joaquín tiene <u>tantas</u> novias <u>que</u> se le mezclan los nombres; **c.** Mis amigos portugueses hablan <u>tan</u> bien el español <u>que</u> pasan por nativos; **d.** Mis sobrinos hacen <u>tanto</u> lío cuando vienen a casa <u>que</u> demoro una semana en ordenar todo; **e.** Mis amigas hablan <u>tanto que</u> se pelean para tomar la palabra.

4. **a.** Tal era el tumulto que no se escuchaba lo que decía; **b.** Julia es de mentirosa que no le cree ni la propia madre; **c.** Los alumnos no se esforzaron como para pasar de año; **d.** Rosa ha comido tanto como para empacharse; **e.** Tal es la duda que tiene Rodolfo que no consigue dormirse; **f.** Mis padres son tan severos que tenía que salir a escondidas a bailar de joven.

Capítulo 49. Las oraciones pasivas e impersonales

4.1. Identifica

Verdaderas: b, d, e y f; **Falsas:** a y c.

4.2. Practica

1. a. El jugador uruguayo fue contratado por un club; **b.** Las tarifas serán aumentadas nuevamente por la compañía de teléfonos; **c.** La renuncia del alcalde será confirmada por el periódico local; **d.** Los sospechosos fueron detenidos por la policía en el aeropuerto; **e.** El nuevo antivirus será lanzado en agosto por la empresa; **f.** Los niños internados serán visitados por un conocido actor.

2. Implícito: a y d; **Explícito:** b, c y e.

3. a. El año pasado se cumplieron todas las metas establecidas; **b.** Hoy en día se estudia de otra manera; **c.** Finalmente se publicó/ha publicado esa obra tan esperada; **d.** Mañana se inaugurará/inaugura la muestra internacional de cine; **e.** Se ruega no sacar fotos en este recinto; **f.** En montañas muy altas se respira con gran dificultad.

4. a. Se anunció el nombre del nuevo ministro; **b.** Confirman la existencia de agua en Marte; **c.** Para resolver el caso, trabajan con varias hipótesis; **d.** Se busca intensamente el arma del crimen; **e.** Especulan sobre la existencia de ovnis; **f.** En la ciudad se sueña con la construcción de la presa.

5. a. Lo bueno de Internet es que, cuando uno escribe, alguien lo va a leer. Y, además, la gente participa de forma activa en la lectura; **b.** Con la fotografía en blanco y negro uno puede sorprender con cualquier imagen porque la gente espera ver imágenes en colores; **c.** Conocer a los famosos es difícil, porque uno intenta preguntarles lo que la gente quiere saber, pero ellos son celosos de su vida privada; **d.** Según el humorista argentino Quino, lo difícil de su trabajo es que uno trabaja solo para darle a la gente, que no conoce, una visión irónica de la realidad.

4.3. Aplica

1. Animal descubierto: musaraña; Forma de descubrimiento: grabación; Lugar de descubrimiento: África; Hipótesis sobre la especie: musaraña elefante; Quién lo ha visto por primera vez: un miembro de la Sociedad Zoológica de Londres; Comentarios sobre el comportamiento del animal: es un animal esquivo, que solo se encuentra en África y utiliza su largo y flexible hocico para cazar insectos.

Capítulo 50. Los verbos de cambio

4.1. Identifica

1.

Texto 1	Sebastian Vettel (yo)	Me quedé	Sin habla
Texto 2	El bulevar	Quedó	Muy bien
Texto 3	Tú	Te volviste	Aficionado
Texto 4	Nosotros	Nos transformamos	En adultos
Texto 5	Ellos	Se hacen	Ricos

4.2. Practica

1. Cuando mi amigo vio a mi hermano, se puso tan <u>nervioso</u> que se quedó <u>sin respiración</u>. El experimentado galán se convirtió <u>en un ingenuo niño</u> delante de Susana. El empedernido picaflor en un segundo se volvió <u>un perdido enamorado</u> y se hizo <u>fiel</u> a la que ahora es su mujer…

2. a. quedó; **b.** se convirtió; **c.** se quedó; **d.** se puso; **e.** se hizo; **f.** se volvió.

3. a. puso; **b.** quedé; **c.** transformó; **d.** convierten; **e.** hizo; **f.** pusimos; **g.** volvió.

4. Josefina se puso nerviosa; Tito y Marcos se han convertido en musulmanes; Teresa se ha hecho una pediatra famosa; Juan Carlos se ha vuelto muy famoso; Catalina se ha vuelto muy arrogante; Griselda se ha vuelto una persona de palabra.

5. a. Gutiérrez <u>pasó a ser</u> el director general de la empresa; **b.** Rosalía siempre <u>se ruboriza</u> cuando le hacen alguna pregunta personal; **c.** Pedro es tan desastrado para comer que siempre <u>se ensucia</u>; **d.** Los perros <u>se alegraron</u> porque su dueño había llegado; **e.** ¡Qué suerte la tuya que no <u>engordaste</u> después de las vacaciones! Yo siempre vuelvo con unos kilitos de más; **f.** Como sois alérgicos, <u>enfermáis</u> todas las veces que cambia el tiempo; **g.** Mis amigos <u>han enloquecido</u>: han presentado la renuncia en sus trabajos y han decidido irse a vivir a una playa desierta.

Capítulo 51. Otros usos de los pronombres

4.1. Identifica

Sentido	Frase
Los pronombres expresan que el acontecimiento se produce accidentalmente, y además se incluye a una persona involucrada en el evento.	– se le trabó la chinela en el acelerador; – se le enrolló la chinela en el acelerador; – se te manchó la corbata.
Mediante el pronombre se señalan las partes del cuerpo en relación con un poseedor.	– me duele la garganta; – me llenan la boca de jarabe; – me lastimo la pierna.
Los pronombres indican que el evento se produjo de manera espontánea y accidental.	– un violento temporal que se desató en la noche del martes; – se rompió y se desbordó el sistema cloacal.
El pronombre indica que, quien habla, se involucra con especial interés en un evento realizado por otros.	– se matan en cada entrenamiento; – se aferran a poder ser titular; – me están rindiendo de una manera increíble en los entrenamientos.
El pronombre se usa para enfatizar y realzar acontecimientos realizados por una misma persona.	– tú te tomas un café; – te comes una de nuestras deliciosas magdalenas; – te das una vuelta por el barrio.

4.2. Practica

1. a. Marcela pocas veces <u>se</u> pinta <u>los</u> labios. Es muy discreta con el maquillaje; **b.** Daniela, no entiendo por qué <u>te</u> tiñes <u>el</u> pelo de ese color anaranjado. No <u>te</u> queda nada bien; **c.** A Marcelo no <u>le</u> aprobaron <u>el</u> proyecto que presentó para reformar la casa; **d.** Carlos <u>me</u> rompió <u>los</u> dos jarrones que mis compañeros me regalaron para mi boda; **e.** Escuchen mi consejo: si alguien <u>les</u> ha robado <u>la</u> antena de la televisión por cable, llamen a la empresa y hagan la correspondiente denuncia; **f.** El crucero que hicimos fue un desastre. El último día, estábamos en Santo Domingo, <u>nos</u> perdieron <u>las</u> maletas y <u>el</u> equipaje de mano. Son muy desorganizados; **g.** Mi hijo <u>se</u> quemó <u>el</u> brazo con aceite caliente. Por suerte encontré un médico estupendo que <u>le</u> curó <u>la</u> herida con unas pomadas muy buenas.

2. a. Normalmente me leo un libro por semana; **b.** El guiso que me comí en el restaurante estaba delicioso; **c.** Me tomo dos cafés antes de ir a trabajar; **d.** Nos conocemos de memoria el trayecto hasta la casa de mi abuela; **e.** Mis padres se hicieron diez kilómetros caminando para llegar a una gasolinera; **f.** ¡No puedo creer que te hayas recorrido toda la ciudad a pie! Es increíble; **g.** ¿Os habéis comprado todos los CD de Joaquín Sabina?

3. a. No me llegues tarde a cenar porque quiero acostarme temprano; **b.** Ya te lo he dicho: si tu hijo no te quiere estudiar, debes obligarlo; **c.** Marcela, no te me pongas triste. Así te me vas a enfermar; **d.** Voy a contratar a un paseador de perros para que me lo lleve a Friki a dar unas vueltas; **e.** Si ves que el perro no te come nada y además está apático, debes llevarlo al veterinario; **f.** Mamá, no me lo critiques más a mi novio. Es bueno y trabajador, pero no tiene suerte en la vida.

4.

Alguien o algo provoca determinado evento	Nadie provoca el evento. Se produce espontáneamente	El evento se produce involuntariamente
Ensuciaste el pantalón nuevo.	Se ensució el pantalón nuevo.	Se te ensució el pantalón nuevo.
El sol secó la planta.	La planta se secó.	Se me/le/nos/os/les/te secó la planta.
Metió un perro en casa.	Se metió un perro en casa.	Se le metió un perro en casa.
Rompimos la videofilmadora.	Se rompió la videofilmadora.	Se nos rompió la videofilmadora.
Enfrió la comida.	La comida se enfrió.	Se le enfrió la comida.
Derramé la leche.	La leche se derramó.	Se me derramó la leche.
Los chicos partieron el vidrio en tres pedazos.	El vidrio se partió en tres pedazos.	El vidrio se les partió en tres pedazos.
Por desatentos, habéis quemado la comida.	Por desatentos, la comida se ha quemado.	Por desatentos, se os ha quemado la comida.

5. a. Ayer, Julián volvía a su casa en coche por la carretera cuando, de repente, <u>se le pinchó</u> la rueda del coche; **b.** A doña Natalia <u>se le han secado</u> todas las plantas porque estuvo dos meses fuera y nadie se las fue a regar; **c.** Estoy desesperado porque, sin querer, <u>se me ha caído</u> de las manos una valiosa escultura griega y <u>se me ha roto</u>. ¡No quiero pensar lo que dirá mi mujer cuando vea los pedazos!; **d.** Ha habido una fuerte tormenta y a los González <u>se les ha inundado</u> la casa; **e.** Don Ramón estaba limpiando la jaula de pájaros y <u>se le ha escapado</u> el canario que más cantaba; **f.** Antonio deberá cambiar la heladera porque la que tenía <u>se le ha estropeado</u> y ya no tiene más arreglo; **g.** Ana estaba cenando con unos amigos cuando <u>se le ha caído</u> salsa en el vestido nuevo y <u>se le ha manchado</u>.

6. a. Se le dispara el corazón; **b.** Se le aflojan las piernas; **c.** Se le seca la boca; **d.** Se le nubla la vista; **e.** Se le iluminan los ojos; **f.** Se le pone la piel de gallina; **g.** Se le acaban las palabras.

7. a. se le caen las cosas, se le resbaló de la mano, se hizo trizas; **b.** Se me inflamó el tobillo, se le torció el tobillo; **c.** Se me perdieron las llaves del coche, se me rompió la impresora, se me traspapeló entre la maraña de cosas; **d.** Se cortó el pelo, Se operó la nariz, se estiró un poco la piel.

Capítulo 52. El pretérito perfecto de subjuntivo

4.1. Identifica

a. Espero que hayáis pasado una buena Semana Santa; **b.** Es probable que haya pensado que yo sería una carga; **c.** Me duele que se haya marchado sin decirme nada; **d.** Es una suerte que hayamos podido salir a tiempo y que nadie haya salido herido; **e.** El director técnico del Valencia no cree que la culpa de la derrota haya sido del equipo; **f.** Cuando hayas terminado de completar el formulario, simplemente haz clic sobre el icono y envíalo.

4.2. Practica

1. a. Me alegra que José haya venido a la fiesta; **b.** ¿No te preocupa que tu hijo haya salido tan tarde?; **c.** A Jorge le molesta que le hayamos pedido favores; **d.** Me da pena que los chicos no hayan podido viajar; **e.** Es una pena que hayáis dicho tantas tonterías; **f.** Es muy importante que hayamos llegado a un acuerdo; **g.** A mis padres no les molesta que yo me haya ido a vivir solo; **h.** Me sorprende que hayas tenido tanta suerte.

2. a. Cuando hayas terminado el informe, llámame por teléfono; **b.** No bien hayan pagado el rescate, liberarán a los rehenes; **c.** Te prestamos el DVD después de que hayamos visto la película; **d.** Marta se sentirá mejor cuando haya hecho el tratamiento; **e.** No bien haya escrito el *e-mail,* muéstremelo; **f.** Una vez que haya pagado, le enviamos la mercadería.

3. a. No me parece que haya estado enfermo; **b.** No creo que haya sido un accidente; **c.** No me parece que haya actuado con malas intenciones; **d.** No me parece que haya puesto informaciones confidenciales en su *blog;* **e.** No considero que haya plagiado a García Márquez; **f.** No pienso que haya pasado nada.

Capítulo 53. Las expresiones y las oraciones de tiempo

4.1. Identifica

Texto 1: Las líneas de teléfono están congestionadas; **Texto 2:** El público aplaudió después de reconocer la canción; **Texto 3:** Es mejor comprar una televisión de LCD antes de la Navidad; **Texto 4:** La herramienta cayó mientras un operario trabajaba; **Texto 5:** El *blog* está dirigido a quienes van a someterse a un cirujía estética; **Texto 6:** El año 2010 fue el más caluroso de todos los registrados; **Texto 7:** Antes de hacer una compra por teléfono, hay que tener información sobre la empresa que vende el producto.

4.2. Practica

1. a, c y f.

2. a. hasta que; **b.** Antes de; **c.** después de; **d.** después de que; **e.** hasta; **f.** antes de que.

3. a. miro; **b.** volvíamos; **c.** se escapaban; **d.** vio; **e.** se presentaron; **f.** tengamos; **g.** hayas hecho; **h.** había terminado.

4. a. desde que; **b.** hasta que; **c.** Siempre que/Todas las veces que/Cada vez que; **d.** mientras; **e.** apenas/no bien/tan pronto como/en cuanto; **f.** después de/tras; **g.** antes de que; **h.** Después de/Tras.

5. a. La profesora ayer empezó la clase antes de que el alumno entrara; **b.** Conocimos pirámides mayas en 2004 cuando estábamos en Centroamérica; **c.** Mientras mi madre está mirando la televisión, mi padre prepara la comida; **d.** Marcela se pondrá a llorar esta noche en cuanto/no bien/así que vea la sorpresa; **e.** Luis se casó en 2009 antes de hacer un viaje por África; **f.** Esta mañana, cuando llegué a la parada, el ómnibus ya había pasado; **g.** Normalmente, cuando/en cuanto llego a casa, me quito los zapatos; **h.** Cuando mis abuelos organizan una fiesta, vamos todos los primos.

Capítulo 54. El pretérito pluscuamperfecto de subjuntivo

4.1. Identifica

1.

a) un deseo no realizado en el pasado:	Ojalá Jarque hubiera tenido esta oportunidad también.
b) un acontecimiento hipotético pasado:	¿Qué actor hubierais escogido vosotros/as para el personaje de Ulises?
c) sorpresa por un acontecimiento pasado:	Nunca nos hubiésemos imaginado grabar un disco.
d) condición no realizada en el pasado:	Si no te hubieras ido.
e) rechazo de una idea sobre un acontecimiento pasado:	No creo que me hubiesen tomado en cuenta.
f) reacción emocional ante un acontecimiento pasado:	Sintió que no hubiera llevado mi cámara.

4.2. Practica

1. a. Ojalá nunca lo <u>hubiésemos/hubiéramos conocido</u>. Desde que Fernando forma parte del grupo, nos peleamos muchísimo; **b.** ¡Qué increíble! Quién <u>se hubiese/hubiera imaginado</u> que Gloria era la millonaria desconocida que hacía las donaciones; **c.** Es una pena que no nos <u>hubierais/hubieseis informado</u> que presentarían la obra de teatro en nuestra ciudad. ¡<u>Hubiéramos/Hubiésemos ido</u> a veros!; **d.** Si Juana <u>hubiera/hubiese invitado</u> a Pedro, yo no habría ido a su fiesta de cumpleaños; **e.** No creo que me <u>hubieran/hubiesen recibido</u> sin una cita. En esa secretaría son muy burocráticos. Por eso no fui; **f.** ¡<u>Hubieran/Hubiesen visto</u> ustedes lo lindo que estaba el parque en la primavera!; **g.** <u>Hubiese/Hubiera querido</u> visitar todos los museos de Madrid, pero solo tenía un día. Así que elegí el Reina Sofía; **h.** No sabía que Jorge <u>se hubiese/hubiera casado</u> con Angélica. La última vez que supe de ellos habían roto.

2. Respuestas posibles: a. No creo que sus padres me hubieran/hubiesen aceptado como nuera; **b.** No pienso que el juez la hubiese/hubiera hecho renunciar a Florencia; **c.** No considero que tú, Rodolfo, hubieses/hubieras conseguido resolver el problema solo; **d.** No me parece que las amenazas recibidas hubiesen/hubieran podido durar para siempre; **e.** No sabía que todos nosotros hubiésemos/hubiéramos tenido influencias en las decisiones del director; **f.** No creía que vosotros hubieseis/hubierais aprendido tan rápido un idioma tan difícil.

3. a. Me hubiera alegrado que José hubiese/hubiera venido a visitarnos; **b.** ¿No te preocuparía que tu hija hubiese/hubiera vuelto tan tarde?; **c.** A mis padres les molestaría que no los hubiésemos/hubiéramos telefoneado durante el viaje; **d.** Me daría pena que Martín y Francisca se hubiesen/hubieran separado definitivamente; **e.** A mis hermanos les fastidiaría que mi abuelo me hubiera/hubiese regalado un coche para mi cumpleaños; **f.** Nos gustaría mucho a todos que le hubieran/hubiesen hecho el homenaje a Leopoldo el mes pasado.

4. a. Es importante que <u>se haga</u> siempre el mantenimiento de las máquinas periódicamente; **b.** Es fundamental que <u>se haga/se haya hecho</u> el control de calidad de la mercadería para después autorizar su comercialización; **c.** Era interesante que los trabajadores <u>se hubiesen/hubieran enterado</u> de los problemas económicos de la fábrica antes de que se declarara la bancarrota; **d.** Es una pena que no <u>hayan venido</u> ayer a la reunión, pues ha sido muy productiva; **e.** Sería una pena que no <u>hubieran/hubiesen participado</u> de la reunión; **f.** Es muy importante que los socios <u>firmen</u> el acuerdo hasta mañana; **g.** Era muy importante que todos nosotros <u>hubiésemos/hubiéramos firmado</u> el pacto en aquel momento; **h.** Es muy importante que todos ya <u>hubieran firmado</u> ayer el documento.

Capítulo 55. El condicional compuesto

4.1. Identifica

1.a. Texto a: el presidente de la Federación informa que posiblemente se detuvieron a ocho manifestantes; **Texto b:** Los científicos descubrieron una vacuna sin querer; **Texto c:** se lamentan de no haberse quedado más que cinco días; **Texto d:** que su hijo se había ido solo de la escuela; **Texto e:** Durante la secundaria no leyó las comedias de Aristófanes; **Texto f:** al dueño de la tienda donde enmarcaba los cuadros.

1.b. 2. La policía habría detenido a ocho de ellos; 3. Si no hubiera investigado durante años, jamás habrían llegado a encontrarla; 1. Nos alojamos cinco días, pero nos habría encantado quedarnos más tiempo; 2. Pensé que se habría caído o se habría puesto enfermo; 1. A mí me habría gustado leer en bachillerato las comedias de Aristófanes. Y me habría gustado tener un buen profesor; 3. Nada habría pasado si el dueño de la tienda no se hubiera fascinado con mi trabajo.

2. a. habrían detenido; **b.** habría investigado; **c.** habríais reservado; **d.** habrías abierto; **e.** habríamos encontrado; **f.** habría dicho.

4.2. Practica

1. a. habría resuelto; **b.** habría supuesto; **c.** habrías rehecho; **d.** habríamos escrito; **e.** habríais corregido; **f.** habrían escondido; **g.** habría vuelto; **h.** habrías dicho; **i.** habría gustado; **j.** habrían descubierto; **k.** habría habido.

2. a. Pedro habría querido estudiar Biología; **b.** Nos habría gustado hacer un viaje a África; **c.** Me habría encantado vivir en París; **d.** ¿Te habría gustado casarte conmigo?; **e.** Mis hijos habrían preferido hacer un intercambio en Madrid; **f.** No habría querido encontrarme con Federico en la fiesta; **g.** A Ana le habría fascinado ser concertista de piano.

3. a. La policía habría detenido ayer a los ladrones de la joyería; **b.** Se habría firmado un acuerdo comercial entre los países de la región; **c.** El autor del crimen habría sido el cuñado de la víctima; **d.** Según algunos testigos, las víctimas habrían discutido muy fuerte con el atacante; **e.** Varios medios habrían dejado trascender que el presidente habría presentado la renuncia el 19 de abril; **f.** Dos días después del crimen, los dos asesinos se habrían entregado a la policía; **g.** La fuerza opositora habría triunfado en la votación de la ley en el Senado.

4. a. habrías ido; **b.** se habría peleado; **c.** habría sido; **d.** habría solicitado; **e.** habrían tenido; **f.** habrías resuelto; **g.** habríamos seguido, habríamos perdido.

5. a. De haber sabido que te pondrías tan nervioso, no te habríamos contado nada; **b.** Si no me hubieran dado la beca no habría conocido España; **c.** De haber tenido algún problema, los chicos te habrían escrito un *e-mail;* **d.** Si os hubierais despertado más temprano, habríais visto el amanecer; **e.** De no haber habido tanto tráfico, habríamos vuelto más temprano; **f.** Si no me hubieran dado algunas pistas, no habría descubierto el misterio; **g.** De haber tenido más cuidado, no habrías roto el jarrón chino.

Capítulo 56. Las oraciones condicionales con *si*

4.1. Identifica

1.

	hecho real	hecho posible	hecho irreal
Texto 1		x	
Texto 2			x
Texto 3			x
Texto 4		x	
Texto 5	x		
Texto 6	x		

4.2. Practica

1. a-3; b-4; c-2; d-5; e-6; f-7; g-8; h-9; i-10; j-1.

2. a. Mi hijo mayor es muy independiente. Si no estoy en casa, <u>se cocina</u> y <u>se las arregla</u> solo. Pero el más chico es todo lo contrario. La semana pasada, por ejemplo, si yo no hubiese vuelto enseguida, <u>habría pasado/hubiera pasado/hubiese pasado</u> hambre, porque ni siquiera es capaz de prepararse la leche; **b.** Ramiro nunca se arrepintió de nada y siempre hizo lo que se le antojaba. Sin embargo, cuando piensa en Manuela, siempre repite: «Si no la hubiese traicionado, <u>estaríamos</u> juntos hasta hoy… si no <u>hubiese sido/hubiera sido</u> tan inconsecuente, la habría valorado como se lo merecía…»; **c.** Mi lema es: «Si lo <u>quieres</u> de verdad, lo conseguirás». Hasta ahora nunca me ha fallado; **d.** Si Gabriela <u>consiguiera</u> la soñada vacante en la empresa, se sentiría realizada. Pero, si no la <u>consigue</u>, no se va a desanimar. La conozco y sé que es muy persistente. Si no consigue ese puesto ahora, <u>será/va a ser</u> en otra oportunidad; **e.** Gastón, ¿a quién le piensas vender esa imagen de valiente? Si tú <u>tienes</u> valor, yo <u>soy</u> un superhéroe. ¡Si tienes miedo hasta de tu propia sombra!; **f.** Si <u>hubiésemos recibido/hubiéramos recibido</u> la información correcta, habríamos llegado a tiempo. Es una pena que nos hayamos perdido la apertura del encuentro por mala organización; **g.** «¿¡Plástica? Si no lo admito, no me creerán», dijo la actriz cuando le preguntaron si se había hecho una plástica; **h.** No <u>habría ido/hubiera ido/hubiese ido</u> a pasar mis vacaciones a la playa si <u>hubiese sabido/hubiera sabido</u> que llovería todo el tiempo. El próximo año, consultaré el pronóstico del tiempo antes de decidir a dónde ir.

3. a. Si el sol no se asoma, <u>el día no empieza</u>; **b.** Si Juan <u>no toma su café matinal</u>, no se despierta; **c.** Si tus amigos me hubiesen invitado, <u>hoy iría a la fiesta contigo</u>; **d.** Si mi hermano pudiera, ¡<u>una moto se compraría</u>!; **e.** Si tú y tu familia <u>vinieseis/vinierais/viniesen/vinieran a visitarme</u>, pasearíamos en bote por el lago; **f.** Si fueras mi amigo de verdad, <u>no me ocultarías nada</u>; **g.** Si conquistaras toda la fama que deseas, ¿te <u>olvidarías de mí</u>?; **h.** Si el hombre no hubiera pisado la Luna, ¿<u>se hablaría tanto de turismo espacial actualmente</u>?; **i.** Si Fabricio <u>no hubiera ido/hubiese ido a la fiesta de mi prima</u>, no habría conocido a su actual novia; **j.** Si <u>vienes a mi pueblo</u>, avísame con antelación, así podemos encontrarnos.

4. a. Si no llueve, sale a correr; **b.** Si iba al campo, andaba a caballo; **c.** Si hace buen tiempo, acamparé/voy a acampar en la montaña; **d.** Si hubiera sabido nadar, habría jugado en el río con mis primos; **e.** Si fuera el alcalde, prohibiría el coche por el centro.

Capítulo 57. Otras expresiones y oraciones condicionales

4.1. Identifica

1. Verdaderas: a, c, d y f; **Falsas:** b y e.

2.

Se presenta una condición que se considera remota.	en caso de un ataque extraterrestre.
Se indica que un evento se considera hipotético o ficticio.	imagínate delante de una estantería en una librería.
Se expresa una condición única y suficiente para que se realice algo.	con tal de que el Atlético gane la Supercopa.
Se introduce una condición como una amenaza o advertencia.	como sigamos así, en 48 horas no tendremos más gasolina en los surtidores.
Se expresa una condición única que puede impedir que se realice determinado acontecimiento.	a no ser que invadan el país.

4.2. Practica

1. b, c y e.

2.

Condición de realización poco probable o imposible en el presente o futuro	Condición de realización imposible en el pasado
De conseguir un crédito, me compraría un departamento mayor.	De haber conseguido un crédito, me habría comprado un departamento mayor.
De contratar a un buen abogado te ahorrarás muchos problemas legales.	De haber contratado a un buen abogado, te hubieras ahorrado muchos problemas legales.
De ganar nuevamente las elecciones, el presidente construirá escuelas y hospitales.	De haber ganado nuevamente las elecciones, el presidente habría construido escuelas y hospitales.
De tener dinero, viajaría a Italia.	De haber tenido dinero, viajaría/hubiera viajado a Europa.
De aprobarse la nueva ley, los diputados ganarán menos.	De haberse aprobado la nueva ley, los diputados ganarían menos.

3. a. Nos vemos el jueves, a no ser que haya cambio de planes; **b.** Con que llegues temprano, ya será de mucha utilidad; **c.** A no ser que se atrase el vuelo, llegaremos a Madrid a las 10:00; **d.** Siempre que llegue usted con cierta antelación, el doctor lo podrá atender; **e.** De tener vacaciones el mes que viene, trabajaría 10 horas por día; **f.** En caso de tener alguna duda, llame al 0800 de la empresa; **g.** Me hubiera quedado más tranquila con que me avisaran que llegarían más tarde.

4. a. Me encontraré contigo esta noche, a no ser que surja algún imprevisto; **b.** Te habrías enterado del final de la película siempre y cuando no te hubieras/hubieses dormido; **c.** El acusado del robo no se presentaría, a menos que lo citara el juez; **d.** La actividad se hace/hará al aire libre, a menos que siga lloviendo como hasta ahora. **e.** El asesor habría dado su parecer en caso de que hubieran presentado una propuesta; **f.** Con tal de que lo dejaran en paz los periodistas, haría/hará/hace cualquier cosa.

5. a. Vamos a poder comprarnos el auto en un año ahorrando todos los meses; **b.** Atrásate una vez más y te despido; **c.** Salgamos ahora mismo o vamos a llegar tarde a la reunión; **d.** No dejes ese empleo o podrás arrepentirte amargamente; **e.** Haciendo ejercicios todos los días, perderán algunos kilitos; **f.** No te distraigas y podrás sacar mejores notas.

Capítulo 58. El discurso indirecto

4.1. Identifica

1.

Para transmitir...	Verbo introductor...
consejos y sugerencias	
una información dicha por otro(s) o por uno mismo	dice, confirman
una orden dicha por otro(s) o por uno mismo	han exigido
un pedido	solicita, ha pedido
preguntas formuladas por otro(s) o por uno mismo	quiere saber

2. Es obsceno almorzar en televisión; Poneos mostaza; Nunca podrán tener hijos; Está loco por pensar que ha hallado un Velázquez.

4.2. Practica

1. Secretaria de la concesionaria: Sra. Muñoz, la llamo desde la concesionaria. Cuando quiera, puede pasar por aquí y retirar su coche; **Sra. Muñoz:** Me informan de la concesionaria que podemos pasar por allí y retirar el auto.

Beatriz: Hola, Silvia. Te llamo desde Barcelona. Esta ciudad es de ensueño; **Silvia:** He hablado con Beatriz y me ha dicho que está en Barcelona y que es una ciudad de ensueño. Esa es la ciudad que más le ha gustado hasta ahora.

Marcelo: Querida Gabi, he llegado a Puerto Rico esta mañana y aquí el tiempo está espléndido; **Gabriela:** He recibido un *mail* de Marcelo que dice que esta mañana llegó a Puerto Rico y que ahí el tiempo está espléndido.

2. a. Ven a mi mesa; **b.** Voy a cambiar de empleo; **c.** No te presto mi auto de ninguna manera; **d.** Tráeme/ ¿Puedes traerme los anteojos aquí, por favor?; **e.** Pinta/Tienes que pintar este cuarto de azul; **f.** Tráigame/ ¿Puede/Podría traerme un vaso de agua, por favor?; **g.** No pude venir/ir más temprano porque tenía que estudiar.

3. Sonia: Luis me pide que le compre leche en el supermercado; **El paciente:** El médico ha ordenado que me haga unos exámenes; **Julián:** Martín sugiere/aconseja/ha sugerido que no deje de ver la película; **Tú:** Mariel sugiere/aconseja/ha sugerido que mi amigo y yo tendríamos que conocer el interior del país; **Sofía:** Mi amigo me ha aconsejado que no viaje para Montevideo en verano; **El hijo:** Mi padre sugiere que compre los muebles en el centro.

4.

Enunciado original	El enunciado lo reproduce uno de los participantes de la situación	El enunciado lo reproduce alguien que no participa de la situación
«Redacta un contrato comercial».	Me ha pedido que redacte un contrato comercial.	Le ha pedido que redacte un contrato comercial.
«María, tú nunca pasas a visitarme».	Siempre le digo a María que nunca pasa a visitarme.	Su madre siempre le dice a María que nunca pasa a visitarla
«Tus esculturas son de muy buen gusto».	Comenta que mis esculturas son de muy buen gusto.	Comenta que sus esculturas son de muy buen gusto.
«Auméntenme el sueldo».	Exige que le aumenten el sueldo.	Exige que le aumenten el sueldo.

5. a. La secretaria nos informó que las clases empezaban <u>aquella semana</u>; **b.** Víctor le dijo a Julia que la llamaría <u>al día siguiente</u>, pero no lo hizo; **c.** Pedro nos contó que <u>el mes siguiente</u> visitaría las ciudades históricas con Elisa; **d.** Héctor le dijo a su médico que <u>en aquel momento</u> no se sentía bien, que le parecía que le había bajado la presión; **e.** Zulma nos comentó que <u>hasta ese momento</u> no habían decidido a dónde irse de luna de miel; **f.** Omar me dijo que <u>el día anterior</u> la había visto a Corina en la casa de Valentín; **g.** Carlos comunicó que <u>aquel día</u> entraba más tarde a la oficina; **h.** Gloria me contó que <u>esa noche</u> habían salido a cenar con José.

6. a. La madre le aconsejó a su hijo que se <u>pusiera</u> un abrigo porque <u>hacía</u> frío; **b.** Nico le contó a Juan que hacía dos meses <u>había conocido</u> a una chica fenomenal en la playa y que <u>estaba</u> muy ansioso porque <u>se volverían</u> a ver el fin de semana siguiente; **c.** Norma pensó que a Joaquín le <u>habría pasado</u> algo porque nunca se atrasaba. Y le preguntó a Alfonso qué <u>hacía</u>, si lo llamaba por teléfono o si esperaba un poco más; **d.** Los carteles del parque alertaban que no <u>pisaran</u> el césped, que no <u>arrancasen</u> las flores, que no <u>tiraran</u> basura, pero nadie los tomaba en serio hasta que empezaron a llegar las multas; **e.** Pobre Fabián, nos contó que ayer <u>se había levantado</u> más temprano, pero que contrariamente al dicho, todo <u>le había salido</u> mal. No <u>había</u> ni luz en su casa. Los trenes <u>estaban</u> en huelga y él <u>había llevado</u> su coche al taller.

7. a. Mi madre me dijo que no dejara tirada la ropa sucia en cualquier lugar y que fuera más ordenado; **b.** El político decía que era mucho más fácil luchar por algo en lo que efectivamente creíamos; **c.** Un vecino de la zona dijo que estaba yendo a su casa cuando de repente se escuchó un estallido; **d.** Me aconsejaron que me llevara el paraguas por si llovía; **e.** Contaron que habían vuelto de viaje hacía dos semanas, que la habían pasado muy bien, que habían visitado todos los lugares posibles y que habían probado todo tipo de comida; **f.** El jefe informó que saldría de vacaciones en septiembre, y que por lo tanto le enviáramos todos los balances hasta agosto; **g.** El candidato dijo que se llamaba Humberto, que tenía 32 años, que era abogado y que vivía en Caracas, que nunca se había casado, pero que tenía un hijo. Y agregó que le gustaría conocer una mujer sencilla y divertida.

4.3. Aplica

1. La respuesta verdadera es la segunda.

2. Te escribo para hacerte una invitación: ¿qué te parece ir a pasar unos días a la playa?
Resulta que Gisela me escribió contándome que estaba muy contenta, porque había conseguido la vacante en la agencia de publicidad y que empezaba dentro de una semana. Así que tiene unos pocos días libres antes de dedicarse exclusivamente al trabajo, por eso quería saber si yo no quería pasar unos días en la playa con ella. Y me pidió que te invitara/invitáramos.
También insistió en que no me hiciera rogar, que fuera con ella a festejar y que te escribiera para ver qué te parecía la idea.

4.1. Identifica

a) **TEXTO A: Según el texto, es correcto afirmar:** La aromaterapia es recomendable a todas las personas; **La especialista:** habla bien de la aromaterapia y hace aclaraciones sobre la aromaterapia. **TEXTO B: Según el texto, es correcto afirmar:** el ocio puede provocar ansiedad y estrés en los trabajólicos y el estrés es considerado una patología; **El psicólogo afirma que el estrés afecta:** a la conducta y lo emocional del individuo y al bienestar físico del individuo.

b)

	Texto A	Texto B
introducen una reformulación para aclarar un concepto	–	es decir, o también denominado, dicho de otra manera
introducen una ejemplificación	como	como puede ser, como (2), tales como, por ejemplo
introducen una información de forma enfática	así como también	también
expresan contraste	sin embargo, en cambio	–
introducen una causa	por lo que (2), porque	–
indican la fuente de un enunciado	–	según
presentan una información como evidente	efectivamente	sin duda
indican el término de la secuencia informativa	–	finalmente
ordenan informaciones en el texto		en segundo lugar

4.2. Practica

1.

1	Para aquellos que aprecien la calidad a un buen precio, en un entorno privilegiado y con un trato familiar.
3	Por esta razón puedo afirmar que el hotel es un gran hotel rural, es como hacer vacaciones en casa de un amigo. Y, además, la propietaria, destila amabilidad y profesionalidad.
7	A mi entender, con todo, este hotel es especial e innovador, para aquellos que valoren sus vacaciones y que no se conformen con ser el número de una habitación.
5	Por cierto, el lavabo era grande y nuevo. ¡Y que quede claro que nuestra habitación solo era una doble estándar!
6	Por poner un pero, me gustaría comentar algo sobre la cena: aunque reconozco que la calidad es muy alta, puede resultar bastante caro. No estaría de más algún menú especial para los clientes del hotel un poco más económico.
2	Primero de todo me gustaría decir que soy diplomado en Turismo, y que mi opinión aparte se basa también en mis conocimientos del tema.

4	En lo que concierne a las instalaciones y a los servicios, las habitaciones están muy bien decoradas, y la limpieza es excelente. Combina con elegancia lo rústico con todas las ventajas y servicios propios de un hotel de cinco estrellas: minibar, wifi, secador, *amenities,* televisión, caja de seguridad, calefacción, aire acondicionado, *parking,* etc.
8	Para finalizar, solo quería decir alto y claro que no soy amigo de nadie del hotel, y si hablo bien del lugar es porque se lo han ganado a pulso y se lo merecen.

2. a. ¿Qué papel juega la alimentación en la prevención de enfermedades?

Una alimentación correcta, variada y completa permite <u>por un lado</u> que nuestro cuerpo funcione con normalidad, <u>es decir</u>, que cubra nuestras necesidades biológicas básicas <u>ya que</u> necesitamos comer para poder vivir, y <u>por otro lado</u>, previene el riesgo de enfermedades. <u>Incluso</u> ciertos tipos de cáncer se relacionan con una alimentación desequilibrada. <u>Normalmente</u>, no es una relación directa de causa-efecto, pero sí supone uno de los factores que aumentan el riesgo de dichas enfermedades. <u>Actualmente</u>, se reconoce la importancia de los alimentos, <u>sobre todo</u> de aquellos que se comportan como protectores. <u>Tal es el caso de</u> las fibras, que actúan como antioxidantes naturales, y de los vegetales, que contribuyen a disminuir el riesgo de patologías crónicas.

b. La importancia del desayuno

Cada vez se valora más la importancia del desayuno <u>ya que</u> los especialistas no paran de repetir que hay que empezar el día nutriendo nuestro organismo. <u>En algunas culturas</u> el desayuno es la principal comida del día <u>tanto</u> por la cantidad de alimentos que se ingieren <u>como</u> por su función social <u>puesto que</u> implica comenzar el día en familia. Cuando hablamos de la importancia del desayuno, <u>desde el punto de vista fisiológico</u>, podemos decir que es la primera toma de alimento desde un ayuno prolongado, <u>es decir</u>, las horas de sueño. <u>Dado que</u> nuestro cuerpo necesita una reactivación después del descanso, es de vital importancia desayunar con alimentos de aporte energético.

3. El primer mes del año suele ser el más duro principalmente porque confluyen dos factores: <u>por un lado</u> el sobre gasto navideño y <u>por otro</u> la subida del precio en determinados productos y servicios. <u>Para empezar</u>, el presupuesto con el que se cuenta para superar enero suele ser limitado gracias al coste de la Navidad, los aumentos del nuevo año y, <u>por supuesto</u>, la tentación o ahorro de las rebajas.
<u>Desde un punto de vista financiero</u>, enero es el mes ideal para empezar a tomar el control de las cuentas y las finanzas personales. <u>No solo</u> es el primer mes del año, <u>por lo que</u> se puede planificar todo el ejercicio, <u>sino que también</u> es uno de los más precarios para el bolsillo.
<u>A continuación</u>, algunos consejos:
– Eliminar gastos innecesarios, suscripciones a las que no se presta atención, o tarjetas de crédito que no se utilizan, <u>por ejemplo</u>.
– Aprovechar para replantearse determinados hábitos de consumo. <u>En general</u> se trata de ajustar las pautas de gasto a los nuevos costes y sobre todo crear una serie de costumbres saludables a la hora de comprar y consumir.
– Rebajas: comenzar a consumir de forma responsable, <u>es decir</u>, aprovecharlas de manera controlada para no gastar más de la cuenta.
– <u>Como</u> el dinero escasea, crear un presupuesto ajustado con los gastos e ingresos previstos para enero y febrero.
<u>Finalmente</u>, se trata de que la dichosa cuesta de enero sea lo más llevadera posible para que el inicio del año no vaya acompañado por gastos mayores al presupuesto disponible.

Capítulo 60. La formación de palabras

4.1. Practica

1. a. inútil; **b.** inservible; **c.** impuro; **d.** intolerante; **e.** irrelevante; **f.** ilegal; **g.** irremediable; **h.** impersonal; **i.** imborrable; **j.** ilícito; **k.** irrespetuoso; **l.** inalterable.

2. a. antesala; **b.** superponer; **c.** hipersensible; **d.** bicolor; **e.** sobreprecio; **f.** anteanoche; **g.** transportar; **h.** antebrazo; **i.** trasfondo; **j.** multicolor; **k.** reafirmar.

3. a. Abuelito, ¿quieres otro cafecito?; **b.** La tortuguita ya estaba cansadita de tanto caminar; **c.** Manuelita, ve a la panadería y tráeme dos panecitos/panecillos/pancitos; **d.** Había una vez una hormiguita muy trabajadora que durante todo el día juntaba hojitas para dar de comer a sus hijitos.

4. a. Muchacha de <u>ojazos</u> negros, no puedo vivir sin ti; **b.** Durante la cena, me dio un <u>codazo</u> para indicarme que tenía que cerrar mi <u>bocaza</u>; **c.** Estábamos jugando en la calle cuando se nos acercó un <u>muchachote</u> y nos quitó la pelota; **d.** Marcelo es más <u>buenazo</u> que los ángeles y, además, es un chico <u>simpaticón</u>. Sin embargo, se pone <u>seriote</u> cuando le toman el pelo; **e.** Con <u>huevazos</u> y <u>tomatazos</u>, salimos a la calle a protestar por el aumento de los impuestos.

5. a. Entramos en una <u>tienducha</u> de mala muerte y compramos unos refrescos; **b.** Nos encontramos un <u>perrucho</u> abandonado en la calle. El pobre estaba tan <u>flacucho</u> que nos dio pena y nos lo llevamos a casa; **c.** Es un <u>politicastro/politicucho</u> corrupto y sinvergüenza; **d.** Me atendió un <u>medicucho</u> incapaz de curarse él mismo; **e.** El escultor ha creado una figura <u>humanoide</u> que ha causado el estupor del público.

6.

Raíz	Verbo	Sustantivo	Adjetivo
Destru-	destruir	destrucción	destruido
Admir-	admirar	admiración	admirado/admirable
Imped-	impedir	impedimento	impedido
Comprend-	comprender	comprensión	comprendido/comprensible
Abund-	abundar	abundancia	abundante
Edific-	edificar	edificación	edificado/edificable
Orden-	ordenar	ordenamiento/ordenación	ordenado
Atrev-	atrever	atrevimiento	atrevido

7. a. Pedro es un hombre muy profesional; **b.** Esta situación es manejable; **c.** Ana es enamoradiza; **d.** Hay sustancias contaminantes; **e.** Se escuchan ruidos ensordecedores; **f.** Este frasco de vidrio es irrompible.

8. Leche: lechería, lechero, lechoso; **Papel:** papelería, papelera, papelucho; **Pan:** panadería, panadero, panera; **Alto:** altura, altanero, alteza, altillo; **Baño:** bañera, bañista, bañero, bañador; **Grueso:** grosura, grosería.

9. a. La reducción del sueldo de todos los trabajadores; **b.** La organización de una reunión por el presidente; **c.** La apertura del museo a las 14 horas; **d.** La destrucción por un incendio de varias escuelas; **e.** La negativa de los manifestantes a dejar la plaza y su rechazo a los cambios propuestos por el régimen; **f.** El secuestro de 21 armas de fuego y la detención de 55 personas en la localidad de Los Perales.

10. Así como ocurre con otras partes de la casa, también es necesario renovar la terraza de vez en cuando, tanto el mobiliario como la distribución y el uso. Hoy día se considera muy elegante <u>disponer</u> de una cómoda terraza para <u>organizar</u> cenas y fiestas al aire libre.
Si queremos una terraza totalmente descubierta, una buena idea puede ser <u>instalar</u> una pérgola a modo de cerramiento para <u>convertir</u> el ambiente en un lugar más acogedor.
<u>Crear</u> un ambiente natural y salvaje se consigue con la profusión de diferentes plantas que ayudan a <u>enriquecer</u> el decorado. Pero no olvidemos que es necesario <u>cuidar</u> y renovar las plantas de vez en cuando. El suelo es una parte fundamental; el aspecto del mismo puede <u>cambiar</u> totalmente una terraza. Los tres suelos más recurridos son el de madera, césped y gravilla. Si optamos por el césped, recordemos que primero hay que <u>impermeabilizar</u> el suelo y luego hay que tratarlo con cariño.
Por último vamos a <u>elegir</u> el mobiliario que se ha de <u>ajustar</u> a las necesidades de la terraza y ha de ser lo más práctico y funcional posible. En este caso, <u>simplificar</u> es la consigna más importante y recordemos que los muebles más prácticos son los plegables. Así será más fácil <u>economizar</u> espacio.